송선달의
발길 따라

송배근 기행 문집

순서

책머리에....

강산은 만고의 주인이요, 인간은 백 년 동안의 과객(過客)이라 했던가. 강아지가 주인을 따라나서듯 자연을 찾아다니고 싶은 마음은 어쩌면 인간의 내면에 자리하고 있는 본연의 욕망인지도 모른다.

처음부터 책으로 엮으려고 염두에 둔 글은 아니었다. 여기 저기 산천을 찾아다니던 흔적을 두서없이 써 놓은 것들인데, 글로나마 붙잡아두지 않으면 지나온 추억의 한 조각마저도 아주 잊혀져버릴 것 같은 생각이 들기도 하였다.

살아오면서 심오한 삶의 이치를 깨달은 바도 없으니 글 속에 인생을 경륜할 만한 삶의 지혜가 담겨 있는 것은 아니지만, 그저 산을 찾아다니고 물을 따라다니면서 이런 생각도 하였구나 하는 마음으로 가볍게 읽어 주었으면 하는 바램이다.

그냥 발길 닿는 대로 한세상 스쳐 지나가면 될 것을… 무슨 미련이 있어 글로 남기려고 했는지 다시 생각해 보아도 이게 잘한 일인지는 나도 잘 모르겠다.

#봄

서러움도 모이면
눈부시게 아름다운 것을
지나온 세월
차마 추스르지 못한 상흔(傷痕)들이
한자리에 모여
지천으로 피어났구나
그래, 우리
서러운 마음끼리 모여서 살자
모여서 하나가 되자

성구미 포구에서

서쪽 바다 어느 조그만 항구에도
그리움은
산당화 붉은 꽃으로 피어나고 있었다
바람도 불어오지 않는데, 바닷물은
자꾸 곁으로 다가와
발목을 잡아당기고
텅 빈 오후의 포구에는
산그늘에 얼룩진 물결들만
북적거리고 있었다

방파제 앞으로도
끊임없이 파도가 밀려왔지만
이곳에
세월이 지나간 흔적은 보이지 않았다
빛바랜 그림에서 걸어나온 풍경처럼
한가로이 앉아 있는 노점상들
그 위로
지나가던 봄이
초록빛 햇살을 내려놓고 있었다

그물에 걸린 물고기처럼
무작정 끌려온 세월
여기
낡은 밧줄에 묶어 놓고

소주 한 잔으로 지나온 날과 마주앉았다
바람이야 어느 때고 불어오는 것
출렁거리는 물결 같은 우리네 삶이야
어느 때고 흔들리는 것
정박 중인 빈 배에 기대어
잠시 마음을 가다듬어 보는
어느 조그만 포구의 한나절

수리산에서

되돌아보니
참 많이도 걸어왔구나
여기에 이르기까지
오르내린 산등성이 몇 굽이던가
이제
가야 할 길은 또 얼마인지...
지친 몸 쉬어가며
산자락 어느 모퉁이에 서서
잠시 숨을 고른다

3월이 가고 있다

꽃은 아직 피어나지 않았는데

꽃잎이 지듯

3월이 지고 있다

봄은 이미 와 있는데

꽃들은 어디쯤에 오고 있는가

기다림에 지친 사람들을 위해

지나가던 겨울은

발길을 돌려

마지막 작별 인사를 하듯

나뭇가지에 눈꽃을 피우고

우두두두두

온 산을 휘감을 듯 몰아치는 바람

산자락에 부딪혀

부서지고 깨어지더라도

바람은 물러서지 않고

하루 종일 맹렬한 기세로 달려든다

무너지지 않으려면

이만큼의 시련도 견뎌내야 하리

몰아치는 바람에

번득이는 뼈마디만 남은 채

온몸으로 버티고 선

바위의 저 결연한 모습

새을(乙) 자 하나 그려 놓고

비상을 꿈꾼다

태을봉(太乙峰) 정상에서

바위에 갇혀

날지 못하는 새

언제쯤이면

날아오를 수 있을까

바람에 깎이고 쓸리고

바위가 다하는 날, 새는

오랜 세월 갇혀 온 굴레를 벗고

그토록 꿈꾸어 온

자유를 얻을 수 있을까

안면도 노을길

1.

노란 숲속에 두 갈래 길이 있었습니다
나는 두 길을 다 가지 못하는 것을 안타깝게 생각하면서
오랫동안 서서 한 길이 굽어 꺾여진 곳까지
바라다볼 수 있는 곳까지 멀리 바라다 보았습니다

그리고 똑같이 아름다운 다른 길을 택했습니다
그 길에는 풀이 더 있고 사람이 걸은 자취가 적어
아마 더 걸어야 될 길이라고 생각했던 게지요
그 길을 걸으므로 그 길도 거의 같아질 것이지만
…… ……

- 프로스트 「 가지 않은 길 」

　누구에게나 각자에게 걸어가야 할 길이 있다. 살아가면서 평생을
걸어가야 하는 길, 스스로의 힘으로 걸어야 하는 그 길을 걸어 우리
여기까지 왔다. 사람마다 각자 걸어온 길이 다르니 살아온 이력도
다 제각각이다. 넓고 평탄한 대로를 별다른 장애물 없이 걸어온 사
람이 있는가 하면, 울퉁불퉁한 자갈길을 힘들게 걸어온 사람도 있
다. 그리하여 그들이 살아가는 삶의 모습 또한 각양각색으로 다양
할 수밖에 없다.
　사람들은 누구나 자신의 앞에 놓인 길이 평탄하기를 바라지만 모
든 사람들이 다 그런 길을 걸어갈 수는 없다. 내가 걸어온 길은 어
떤 길인가. 그 길은 온전히 내 스스로 선택한 길인가, 아니면 내 의
지와는 무관하게 주어진 길인가.

국어책에 실렸던 프로스트의 <가지 않은 길>이란 시를 읽으면서 누구나 자신이 가야 할 길에 대해서 한 번쯤은 생각해 보았을 것이다. 나는 어느 길을 가야 하나. 나에게 맞는 길은 어떤 길인가. 당시에는 제법 심각하게 고민했을 법도 한데, 이제 와서 생각해 보면 어느 길을 선택했든 나의 삶은 크게 달라지지 않았을 거라는 생각도 든다. 어차피 자신에게 주어진 능력과 역량에 의해서 삶은 이루어지는 것일 테니까.

2.

안면도 노을길을 걸었다. 백사장항에서 시작하여 꽂지 해변까지 12㎞로 걸어서 4시간 정도의 거리. 울창한 소나무 숲이 펼쳐진다. 바닷바람을 막기 위해서 인공적으로 조성한 숲이라고 할까. 걷다 보니 꽤 길다 싶을 정도로 해변을 따라 소나무 숲이 길게 이어져 있다.

이곳에야 전에도 몇 번 와 본 적이 있었지만, 차를 타고 지나가기만 했지 친구들과 같이 둘레길을 걸을 생각은 미처 하지 못했다. 해안선을 따라 길게 이어져 있는 길은

바다에 바짝 다가섰다 멀어졌다 하면서 다양한 모습으로 우리 앞에 펼쳐진다. 소나무 숲 사이로 오솔길처럼 나 있는 길이 있는가 하면, 나무 판자로 길게 도로처럼 만들어 놓은 길이 나타나기도 하고, 해변으로 나가는 모랫길도 있고, 길은 또 야트막한 산길로 이어져 언덕을 넘어 마을의 좁은 골목길로 뻗어나가고 있다.

오늘 이 길을 함께 걸어가는 친구들, 고등학교를 졸업하고 나서 각자 자신의 위치에서 자신의 길을 열심히 걷다가 여기 한자리에 모인 동창들이다. 그동안 살아온 삶의 길이야 다 다르겠지만 오늘 만큼은 모두가 같은 길을 걸어가고 있는 것이다. 그러니 이 길 위에 서만큼은 모두가 평등하다. 이 길을 걸으며 옛날로 돌아가 학창 시절의 추억을 떠올리기도 하고, 오랜만에 만나는 친구들의 안부를 물어보기도 하고… 그러면서 서로의 마음에 가까이 다가가는 길, 그래서 이 길은 마음과 마음을 열어주는 소통의 길이 되고, 친구들을 하나로 이어주는 마음의 끈이 되어주는 길이다.

길을 걸으면서 올해 초에 암 수술을 받았다는 친구의 투병 이야기도 들을 수 있었다. 다행히 빨리 발견해서 수술을 하고, 지금은 많이 회복이 되어 이렇게 친구들과 같이 걸을 수 있으니 그나마 다행이다. 뜻하지 않게 찾아오는 병마, 그건 누구에게나 올 수 있는 것이고 언제라도 닥칠 수 있는 불행이다. 그런 걸 생각하면 아직은 건강할 때에 건강을 챙기고 우리 몸에 대해서 좀 더 겸손해져야겠다는 생각이 든다.

바닷가라서 그런지 바람이 많이 불어온다. 해변을 따라 걷는 길은 바람과 함께 걸어가는 길이다. 수시로 불어오던 바람은 백사장에 들어서자 쉬지 않고 불어와 자꾸만 우리의 몸을 뒤로 밀어내고 있다. 해안가에 있는 모래들도 바람에 불려와 백사장 바닥에 낮게 낮게 몸을 낮추고 무리지어 끌려간다. 바람에 붙잡혀 끌려다니는 포로들처럼 아무런 저항도 하지 못한 채 바람의 속도로 빠르게 우리의 발목을 스쳐 지나가고 있다.

해변에 무리를 지어 서 있는 갈대들도 마찬가지이다. 바람이 불 때마다 허리를 구부렸다 폈다를 반복하며 쉼 없이 흔들린다. 잠시만이라도 허리를 펴고 쉬면 좋으련만… 그러나 어쩌랴. 이 모두가 자연의 순리인 것을. 바람이 불어 저 갈대들도 흔들림 속에서 더욱 강한 생명력을 지닐 수 있었을 것이니, 어디 온실에서 곱게 자란 화초에 비할 바가 되겠는가.

바람은 자유의 표상이다. 끊어졌다가 이어지고 갑자기 불어왔다가 문득 사라지는 바람, 자유롭게 떠돌아다니는 바람의 삶을 사람들은 동경한다. 가고 싶은 곳은 어디든지 가고, 한 곳에 얽매이지 않고 이리저리 떠다니는 자유로운 영혼의 소유자, 그래서 사람들은 바람처럼 떠돌아다니면서 영원한 자유인으로 살아가기를 소망한다. '풍류(風流)'라는 말 속에는 이처럼 바람으로 살아가고 싶어하는 인간의 바램이 담겨 있다.

오랜만에 친구들과 함께 걷는 이 길 위에서 나도 바람처럼 자유를 꿈꾼다.

월악산

5월, 신록의 부름을 따라 다시 길을 떠난다. 이 아름다운 계절에 월악산은 지금 어떤 모습을 하고 있을까? 날로 푸르러가는 자연 속에서 한껏 성장(盛裝)을 한 청순한 새색시의 모습일까, 아니면 하늘을 향해 우뚝우뚝 솟아 있는 산봉우리마다 단단한 갑옷으로 무장을 한 늠름한 젊은이의 기상일까? 하루하루 뭉게구름처럼 부풀어 오르는 자신의 모습을 호수에 비춰보며 그 아름다움에 스스로 넋을 잃고 있는 것은 아닐까? 궁금하기도 하고 그립기도 하여 2박 3일의 여정으로 집을 나선다.

옥순봉, 구담봉

월악산 산행을 준비하느라고 이리저리 자료를 찾다 보니 옥순봉과 구담봉이라는 단어가 눈에 들어온다. 두 봉우리는 월악산과는 거리가 많이 떨어진 단양팔경으로 유명한 곳이지만, 유람선을 타고 바라보던 봉우리들을 발로 걸어서 직접 올라갈 수 있다는 것을 이번에야 알게 되었다. 봉우리에서 바라보는 전망은 또 어떤 모습일까, 강에서 올려다보는 모습보다 더 멋진 풍경이 펼쳐질까 하는 기대감에 여기를 이번 산행의 출발점으로 삼았다.

아침 8:30분쯤에 집에서 출발하여 단양 계란재 공원에 도착한 것이 거의 11시, 둘러보니 주차장만 있고 매점이나 식당이 보이지 않는다. 근처에 있는 장회나루 공원으로 가서 점심을 간단히 먹고 다시 돌아와 산행을 시작하였다. 공원에서 시작하여 옥순봉과 구담봉을 거쳐 다시 공원으로 되돌아오는 길은 총 5.8km, 초입부터 아카시아나무가 우거져 길이 온통 아카시아 꽃으로 하얗게 덮여 있다. 꽃길을 걷는 산행, 밟고 지나가기가 미안할 정도이다.

그리 높은 봉우리가 아니니 두 봉우리가 갈라지는 삼거리까지는 산보 수준이었지만, 옥순봉으로 가는 길은 제법 경사가 가파르게 오르내린다. 남한강 물줄기가 보였다 숨었다 하는 길을 1km쯤 따라가다 보니 옥순봉이란 표지석이 보인다. 이름도 아름다운 옥순봉(玉筍峯), 희고 푸른 바위들이 하늘을 향해 우뚝 솟아오른 것이 옥과 같이 푸르고 흰 대나무 순이 돋아난 듯하다 해서 붙여진 이름이라고 한다. 말 그대로 봉우리 앞으로는 병풍을 펴놓은 듯한 바위 절벽이 길게 이어져 햇볕을 받아 환하게 빛나고 있고, 그 앞으로는 강물이 산자락을 굽이 돌아 유유히 흘러나간다.

옥순봉에서 내려다보는 풍경

하지만 더 멋진 경치는 다른 곳에 숨겨져 있었다. 봉우리 옆으로 40~50여 미터 숲길을 더 돌아나가니 아! 천길 절벽 아래로 멀리 보이는 산은 끝 간 데 없이 펼쳐져 있고, 산자락 사이로 강물은 아득히 흘러온다. 푸른 강물 위로 붉게 빛나는 다리는 강을 가로질러 길게 누워 있고, 유람선 한 척이 물살을 가르고 지나가는 그 옆 강마을에는 민가 몇 채가 옹기종기 숲에 둘러싸여 나지막이 앉아 있다. 무릉(武陵)이 따로 있는 것이 아니었다. 한참을 내려다보고 있으려니 내가 한 마리 새가 되어 저 별천지로 날아가고 있는 착각마저 든다.

바위 절벽에서 바라본 남한강, 옥순대교의 모습

다시 삼거리로 되돌아와 구담봉(龜潭峰)으로 향한다. 봉우리 꼭대기의 바위 모습이 거북과 같다고 하여 붙여진 이름이다. 구담봉 가는 길은 온통 바위 봉우리로 이어진 바윗길의 연속이었다. 수직의 바위 절벽, 그 아래로 흘러가는 강물, 강물을 양옆으로 감싸안고 겹겹이 펼쳐진 산봉우리들, 가다 둘러보고 가다 돌아보면서 걷다보니 발걸음이 마냥 늘어진다. 길 주변의 모습도 참 아기자기하다.

옥순봉 가는 길을 석가탑에 비유한다면 구담봉 가는 길은 다보탑에 비유할 수 있을까? 바위 위에 숲을 이루고 있는 그리 크지도 않은 소나무들이 바람 때문인지 제멋대로 구부러지고 비틀어져 마치 자연적으로 만들어진 분재 공원 같은 느낌이 든다.

길이 아기자기한 것만은 아니었다. 앞에 바라보이는 봉우리가 두 개이던가, 세 개이던가? 짐작으로는 맨 끝의 봉우리가 구담봉일 터인데, 저기까지 어떻게 갈 수 있나, 설마 저기까지 가는 건 아니겠지? 하는 생각이 들 정도로 봉우리와 봉우리 사이에 골짜기가 깊은데, 길은 계단으로 이어져 봉우리를 올라갔다 내려왔다 다시 올라가기를 반복한다. 그러니 계단이 가파르지 않을 수 없다. 경사가 60도 정도는 될까? 이렇게 가파른 계단을 올라보기도 처음이다. 올라가면서도 다시 내려올 일이 은근히 걱정이 되었다. 계단 폭도 좁아 발을 옆으로 디디면서 올라가야 했다.

구담봉에서 바라보이는 산과 강의 경치는 장엄하기까지 하다. 배를 타고 바라보는 구담봉의 봉우리가 수직 절벽이라면 여기에서 내려다보는 산세는 유장하다고 할까. 산외유산산부진(山外有山山不盡)이라, 산 밖에 산이 있어 산은 끝이 없으니 이 산중을 벗어날 일이 걱정이다. 그런데 저 산들은 솟아 있는 것인가, 누워 있는 것인가?

\# 구담봉 주변의 산세

조심조심하면서 계단을 내려와 널찍한 바위에 자리를 잡고 앉아
주변의 경치를 다시 둘러본다. 아, 이 아름다운 풍광들, 아득히 펼쳐
진 산자락 사이로 유유히 흘러가는 강물을 한참이나 바라보고 있으
려니 문득 월탄 박종화 선생의 <삼국지>에 나오는 시가 생각난다.

굼실굼실 흘러서 동으로 가는 긴 강물

낭화(浪花) 물거품이 영웅들의 시비 성패

다 씻어 가버렸네

머리를 들어 돌이켜보니 어허, 모두 공(空)이로다

푸른 산은 예와 같이 의연히 있네

몇 번이나 석양볕이 붉었다가 꺼졌더냐

백발이 성성한 어부와 초부한(樵夫漢)이

가을 달 봄바람을 언제나 바라보며

한 병 탁주 술로 기쁠싸 서로 만나

고금의 허다한 일

소담(笑談) 속에 부쳐보네

유구한 역사도 세월 앞에서는 옛 이야기로밖에 남는 것이 없는 가. 삼국지에 나오는 그 많은 영웅호걸들의 무용담도 한낱 촌부들의 웃음거리에 지나지 않는 것인가. 오직 저 산천만이 천고의 모습 그대로 변함이 없는 것인가.

강은 유순해서 좋고
산은 강직해서 좋다
강은 산이 내어주는 길을 따라
구불구불
아래로 흘러가고
산은 강이 보내주는 물을 받아
푸르게 푸르게
솟아오른다
산은 강을 만나 비로소 산이 되고
강은 산을 만나 마침내 강이 된다

몸을 낮추어 강물에게 길을 내어주는 산, 그 길을 따라 낮게 낮게 흐르는 강물, 굽이굽이 저 강물은 어디로 흘러가는가. 우리네 인생도 저 강물처럼 쉼 없이 흘러가고 있구나.

미륵리사지와 하늘재

옥순봉과 구담봉을 돌아나온 것이 2시 반경, 차를 몰고 40km를 달려 미륵리사지와 하늘재가 있는 충주로 향한다. 미륵리사지는 하늘재로 올라가는 길목에 있는 폐사지이다.

전설에 의하면 신라 경순왕의 아들 마의태자가 망국의 한을 품고 하늘재를 넘어 금강산으로 가는 도중에 이 절에서 불상을 조성하였다고 한다. 마의태자가 머물렀다는 이 절은 지금 주춧돌만 여기저기 덩그러니 남아 세월의 무상함을 말해줄 뿐, 넓은 절터에는 한낮의 따가운 햇살이 내리고 적막감만이 흐르고 있다.

충주 미륵리사지

하늘재

하늘재는 충주의 미륵리와 문경의 관음리를 연결해주는 고개이다. 미륵리와 관음리, 한쪽은 내세(來世)를, 한쪽은 현세(現世)를 뜻하는 지명이니, 이 고개는 현세와 내세를 가르는 갈림길인가, 아니면 현세와 내세를 하나로 이어주는 길이라는 뜻인가. 저쪽으로 넘어가면 현세요, 이쪽으로 넘어오면 내세이니, 두 고을의 경계선에서 재미삼아 이쪽저쪽으로 발길을 옮기어 본다.

해발 525m이지만 산에 오른다는 느낌보다는 그냥 산책로를 걷는 기분, 미륵리사지에서 2km 의 거리로 천천히 걸어도 1시간 정도밖에 걸리지 않는 평이한 고갯길이다. 하지만 우리나라에서 가장 오래된 고개이고, 옛날에 신라가 북진하기 위해 제일 먼저 열었던 중원의 교통로라고 하니 역사적 의미가 깊은 길이다. 요즘은 교통로로서의 역할보다는 산책로로 주로 이용되고 있는데, 충주 쪽에서 올라가는 길은 비포장 도로이고 문경 쪽에서는 포장이 되어 있어 차가 정상까지 올라와 있는 모습도 보인다.

미륵리사지와 마찬가지로 하늘재 역시 마의태자와 연관이 있어 더 애틋한 길, 고등학교 때 국어 교과서에 실렸던 정비석의 <산정무한>이 생각나지 않을 수 없다.

태자의 몸으로 마의(麻衣)를 걸치고 스스로 험산(險山)에 들어온 것은, 천 년 사직을 망쳐 버린 비통을 한 몸에 짊어지려는 고행(苦行)이었으리라. 울며 소맷귀 부여잡는 낙랑공주의 섬섬옥수(纖纖玉手)를 뿌리치고 돌아서 입산(入山)할 때에, 대장부의 흉리(胸裡)가 어떠했으랴? 흥망(興亡)이 재천(在天)이라. 천운(天運)을 슬퍼한들 무엇하랴만, 사람에게는 스스로 신의(信義)가 있으니, 태자가 고행으로 창맹(蒼氓)에게 베푸신 도타운 자혜(慈惠)가 천 년 후에 따습다.

천 년 사직이 남가일몽(南柯一夢)이었고, 태자 가신 지 또 다시 천 년이 지났으니, 유구(悠久)한 영겁(永劫)으로 보면 천년도 수유(須臾)던가!

고작 칠십 생애에 희로애락을 싣고 각축(角逐)하다가 한 움큼 부토(腐土)로 돌아가는 것이 인생이라 생각하니, 의지 없는 나그네의 마음은 암연히 수수(愁愁)롭다.

흥망이 재천이라, 천운을 탓한들 어찌할 것이며 운명을 슬퍼한들 무엇하리오. 인간의 힘으로는 어찌할 수 없는 일, 그저 하늘이 주는 대로 순응하면서 살아갈 일이다.

동창교에서 영봉으로

송계계곡 근처 민박집에서 1박을 하고 이튿날 아침 일찍 월악산 산행길에 올랐다. 동창교에서 시작하여 정상인 영봉까지는 4.3km 로 산행으로는 2시간 30분 정도의 거리, 등산하는 사람은 나밖에 없다. 인적이 없는 등산로를 혼자 올라가다 보니 새소리, 물소리, 바람 소리가 번갈아가며 동행을 해 준다. 울창한 나뭇잎들이 햇빛을 막아주고 바람도 시원하여 등산하기에는 더없이 좋은 날씨지만, 돌계단이 계속 이어지고 경사도 높아 산행길이 만만치가 않았다. 어제 산행을 하고 나서 피로가 덜 풀렸는지 발걸음에도 속도가 붙지 않는다. 가만히 생각해 보니 나이 때문이라는 생각도 든다. 한 해가 지날 때마다 산에 오르는 것이 차이가 느껴지니… 그렇더라도 오늘 산행은 오늘 중으로 올라갔다 내려오면 되는 것이니 그리 서두를 일도 없다.

쉬엄쉬엄 1시간 남짓 오르다 보니 전망대가 보인다. 전망대에 올라서니 사방의 시야가 일시에 열리는 것이 눈이 시원해지고 마음이 탁 트이는 기분이다. 하늘 높이 솟아 있는 웅장한 산세들, 산에 올라야만 볼 수 있는 풍경들이다. 이런 맛에 산에 오르는 것이 아닐까?

\# 전망대에서 바라보는 풍경

영봉(靈峰)

　송계삼거리에서 영봉으로 올라가는 1.5km 구간은 대부분이 계단의 연속이었다. 정상을 비롯한 주변의 산봉우리가 바위로 되어 있다 보니 봉우리 정상까지 계단으로 이어져 있는데, 계단을 오르다 주위를 둘러보면 깊은 골짜기들이 아득히 펼쳐져 있는 것이 마치 걸어서 하늘에 오르는 기분이다. 어제 구담봉을 오를 때의 계단보다 경사가 심하지는 않았지만, 산봉우리가 높다 보니 내려다보이는 전망이 아찔하다. 이렇게까지 꼭 올라가야 하나 하는 생각이 들기도 했지만 여기까지 왔는데 정상을 바로 앞에 두고 발길을 돌릴 수는 없는 일, 한발 한발 앞만 보고 올라갔다.

　그렇게 마음을 졸이며 올라온 탓인지 정상에 세워진 표지석이 너무도 반갑다. 해발 1,098m의 영봉(靈峰), 얼마나 신령스러운 산이길래 영봉이라는 이름이 붙었을까. 산의 신령스러운 기운을 듬뿍 담아가려는 듯 표지석을 몇 번이나 쓰다듬어 보았다. 아래를 내려다

보니 충주호의 잔잔한 물결과 산야가 한눈에 들어오는데, 산자락과 강물과 촌락이 아득한 세상처럼 펼쳐져 있다.

\# 영봉

표지석을 배경으로 사진이라도 멋지게 찍고 싶은데 주위에 아무도 없다. 혼자서 억지로 셀카를 찍으려 해도 자세가 잘 나오지 않는다. 셀카봉을 가지고 오지 않은 것이 후회되었지만 이렇게 사람이 없으리라고는 생각지 못했다. 이리저리 주변을 둘러보고 내려오는데 얼마쯤 내려오다 보니 그제

\# 영봉에서 내려다본 풍경

서야 한 사람이 올라온다. 그 사람을 따라 다시 올라가서 사진을 찍고 내려왔다.

영봉에서 덕주골로

다시 삼거리로 내려와 덕주사 쪽으로 하산길을 잡았다. 조금 내려오다 보니 바위 봉우리들이 연속되어 있는데, 그 봉우리들을 넘어서고 옆으로 돌아가기도 하면서 내려오는 길이 온통 기암괴석으로 눈을 즐겁게 한다. 게다가 웬 노송들이 그리도 많은지, 바위들 사이로 아름드리 소나무들이 울창하게 숲을 이루듯 즐비하게 늘어서서 운치를 더해준다. 길게 펼쳐놓은 동양화의 병풍을 바라보는 듯 참으로 경관이 수려하다.

\# 덕주골의 바위 봉우리들

　바위 봉우리를 타고 내려오다 보니 내려오는 길 역시 계단의 연속이었다. 계단을 타고 한참을 내려오다가 계단이 끝나는가 싶으면 다시 계단이 이어지고, 돌아나오면 다시 계단이 나타나고… 덕주골하면 계단이 떠오를 정도로 내려오는 길 내내 계단을 밟고 내려와야 했다. 쉬엄쉬엄 천천히 내려오다 보니 그리 힘들지는 않았지만, 월악산도 만만치 않은 산이라는 생각이 든다. 생각보다 험한 산이다.

　한참을 내려오다 보니 덕주사 마애불이 나타난다. 덕주공주가 마의태자와 함께 금강산으로 가던 도중에 이곳에 들어와 새긴 불상이라고 한다. 그 한참 아래쪽으로 덕주사란 절이 있는데, 역시 덕주공주가 이 절을 세우고 금강산으로 떠난 마의태자를 그리며 여생을 보냈다는 전설이 전해지고 있다. 망국의 한이 서려 있는 절이다.

덕주사 마애불

　덕주골을 벗어나 덕주야영장에 도착한 것이 4시가 조금 안된 시간, 길 옆으로는 송계계곡의 맑은 물이 흐른다. 숙소에 일찍 들어가 봐야 할 일도 없고 하여 계곡으로 내려가 신발을 벗고 계곡물에 발을 담그고 앉았다. 온통 푸른 산으로 둘러싸인 계곡, 거기에 앉아 발을 담그고 앉아 있으려니 내 자신이 자연 속에 파묻혀 자연과 하나가 된 기분이다. 세상의 번잡한 일들이 나와는 거리가 먼 다른 나라의 이야기인 듯, 오직 신록에 젖은 푸른 산과 맑은 물만이 지금 내 앞에 존재하는 유일한 것처럼 느껴진다.

송계계곡

만수봉 가는 길

　다음 날 산행은 만수봉이다. 차를 몰고 10여 분을 이동하여 만수휴게소에 차를 주차시키고 아래쪽에 있는 만수골 입구에서 산행을 시작하였다. 원래는 만수봉을 거쳐 호암산과 월항삼봉을 지나 미륵리로 내려오는 코스로 계획을 잡았지만, 이틀 동안의 산행 후에 아무래도 무리일 것 같아 중간 지점에서 만수골 골짜기로 내려오는 코스로 짧게 변경을 하였다.

　만수골은 입구에서부터 시냇물 흐르는 소리가 제법 크게 울릴 정도로 물이 많이 내려온다. 조금 오르다 보니 '충주여고길'이라는 표지판이 보이는데, 학생들이 이곳에 꽃을 가꾸고 정원을 조성하여 아름답게 꾸며 놓았다. 군데군데 학생들이 쓴 시를 나무 판넬로 만들어서 작품으로 만들어 놓았는데 다들 훌륭한 작품들이다. 대강 읽으면서 올라가다 보니 한 학생의 글이 눈에 띈다. '그늘'이라는 제목의 시다.

그대는

내가 지치고 힘들 때

쉬어갈 수 있게

어깨를 내어주는 그늘이었습니다

그대는 내가 슬픔으로 가득찼을 때

신선한 바람으로

스치듯 위로해주는 그늘이었습니다

그대는

내가 행복하고 기쁠 때

나뭇잎을 살랑거리며

함께 기뻐해주는 그늘이었습니다

그대는

나의 소중한 그늘

아버지

아버지에 대한 고마움이 가식 없이 묻어나는 글이다. 그 옆에는
아버지의 답시도 적혀 있었다.

울 딸은 나더러
쉬게 해주는 그늘이라네요

울딸은 나더러
위로해주는 그늘이라네요

울딸은 나더러
기뻐해주는 그늘이라네요

근데 울딸은
자기가 그 그늘을 만드는 존재인 것을
모르나 봐요

    부녀지간의 다정한 모습이 한눈에 그려진다. 나도 자식들에게 힘들 때 쉬어가는 그늘 같은 존재였을까, 아니면 벗어나고 싶은 존재였을까? 살아오면서 나는 자식들을 나의 그늘 같은 소중한 존재로 생각하고 지내왔는가? 그런 생각을 하니 마음이 좀 우울했다. 세상을 살아가면서 서로 간에 그늘이 되어주는 존재, 사람들이 모두 그런 존재로 살아갈 수는 없을까? 이 시를 읽으면서 잠시 생각해 보았다.

    조금 더 올라가다 보니 아름드리 소나무마다 모두 아래 부분에 V자로 껍질이 벗겨져 있는 모습이 보인다. 일제강점기 때에 일본이 부족한 연료를 확보하기 위해서, 또 일제강점기 이후 근대에는 고무 공장에서 고무 반죽에 필요한 첨가제로 쓰기 위해서 송진 기름을 채취하던 흔적이라고 한다. 길 옆에는 송유(松油)를 추출하던 송유채취가마를 실물 그대로 만들어 놓은 것도 보인다.

소나무에 V자로 껍질이 벗겨져 있는 것은 문경새재길을 비롯하여 전에도 몇 번 본 적이 있었지만, 송유채취가마는 여기에서 처음 보는 물건이었다. 가마에 관솔을 넣고 열을 가하여 송유를 추출하던 기구라고 한다. 그런데 여기에서는 벗겨진 소나무들이 다른 산에서보다 비교가 안 될 정도로 많다. 수십 그루가 넘을 정도로

껍질이 벗겨진 소나무

송유채취가마

산 중턱까지 큰 소나무들은 모두가 껍질이 벗겨져 있었다.

껍질이 벗겨진 상처 속에서도 나무들은 늠름하게 자라고 있었다. 두 팔로 안아도 한 아름이나 됨직한 우람한 소나무들이 가지가 휘어지고 늘어져 그야말로 낙락장송(落落長松)인 채로 몸은 이리 뒤틀리고 저리 구부러져 용틀임하듯 하늘로 뻗어 올라간다. 나무는 역시 소나무가 으뜸인 것을 이제야 알겠다.

만수봉 역시 올라가는 길이 가파르다. 그러다가 산 중턱에서부터는 능선길이 길게 이어지고, 정상을 오르는 마지막 구간은 다시 계단으로 이어진다. 산이 깊어서인지 군데군데 몇 그루의 철쭉은 이제야 꽃이 피어 조금씩 떨어지고 있었다. 만수봉은 983m로 아주 높은 산은 아니지만 월악산 영봉을 조망하기에 가장 좋은 곳이라고 한다. 아닌 게 아니라 여기에서 바라보는 영봉은 바위들이 군락을 이루어 하늘로 오르는 듯 우뚝우뚝 장엄하게 솟아 있다.

\# 만수봉, 소나무 사이로 멀리 영봉이 보인다

내려오는 길

　　만수골로 내려가는 길은 평범한 내리막길이다. 1시간 정도 산자락 아래로 내려오다 보면 물이 흐르는 골짜기와 다시 만나게 되는데, 시냇가에는 넓고 평평한 바위들이 많아 그 위로 물이 미끄럼을 타듯 내려오다가 군데군데 깊이 파인 연못에서 잠시 쉬어가기도 한다. 물도 여기에서는 서두를 일이 없다는 듯, 쉬엄쉬엄 흘러가는 모습이다.

　　뻐꾸기 소리를 뒤로하고 내려오는 길, 입구에 가까워지니 올라갈 때 보았던 껍질이 벗겨진 소나무들을 다시 만난다. 껍질이 벗겨진 아픔과 고통을 안고 묵묵히 견디고 버티어 온 나무들, 그렇게 세월이 흘러 우람하게 자란 노송들, 세상이 힘들고 아픈 사람들이여, 여기에 와서 저 소나무들을 한 번 어루만져보자. 저 소나무들처럼, 우리도 세월에 몸을 맡기고 묵묵히 견디어 보자.

황매산에 들다

철쭉의 나라에 다녀왔다. 고산족의 후예처럼 그들은 높은 산마루에 자리를 잡고 넓은 언덕엔 붉은 카페트로 치장한 궁궐을 짓고 살았다. 눈에 보이는 사방이 온통 그들의 신전이었다. 붉은 향기가 봄바람처럼 밀려왔다. 정신이 아득하였다.

봄이 올 때마다 슬며시 찾아왔다가 잠깐 사이에 바람처럼 사라진다는 나라, 그 신비로운 나라에서 꽃의 신전을 세웠다는 소식을 듣고 서둘러 길을 나섰다. 먼 길을 달려 구불구불한 산길을 한참이나 돌고 돌아 찾아가는 긴 여정이었지만 가는 내내 마음이 설레었다.

명불허전(名不虛傳)이라, 듣던 대로 화려함이 극에 달했다. 오래 바라보고 있으려니 눈도 마음도 붉게 물들어버렸다. 온 천지가 붉은빛으로 가득했다. 꽃이 열어가는 세상은 저리도 장엄하구나.

그 나라에 다녀오고 나서 밤새도록 꿈에 시달렸다. 꿈속에서 개미 나라의 태수가 되어 영화를 누렸다는 어느 이야기처럼 나도 어느새 그 나라의 백성이 되어 있었다. 꽃이 되어 활활 타오르고 있었다.

꽃 한 송이가 때로는 창검보다도 강할 수가 있으니 이 나라가 언젠가는 꽃을 무기로 하여 세상을 평정할 날이 있으리라. 그리하여 세상이 온통 그 나라의 속국이 되는 날, 사방에는 아름다운 향기가 강물처럼 흐르고 사람들의 마음은 모두 꽃으로 환하게 피어나리라.

방화수류정(訪花隨柳亭)

새 한 마리 앉아 있었네
아득한 시간 그 너머에서 건너온
한 마리 새
야트막한 언덕에 둥지를 틀고
날아갈 듯
날아갈 듯
앉아 있는 새
연못에 비친 자신의 모습 어쩌지 못해
끝내 그 자리에 날개를 펴고
오랜 세월
불사조처럼
소슬한 조선의 옛 지붕처럼
내려앉은 새

아름다워라
금빛 은은한 날개여
밤이 되면
더욱 빛나는 너의 그림자
금방이라도 하늘로 솟아오를 듯
솟아오를 듯
흩날리는 꽃잎에
한 폭의 풍경으로 남아 있는 새
바라보면
아늑해지고
숨결이 고와지는 새 한 마리
그린 듯 앉아 있었네

매화(梅花) 기행

산자락 깊숙이 자리한 궁벽한 절간이 온통 매화 향기로 출렁인다. 하늘을 덮을 듯이 환하게 피어 있는 꽃잎들, 눈이 내리다가 눈송이가 그대로 나뭇가지에 걸려 있는 것일까. 순백의 흰 꽃들이 나뭇가지에 매달려 햇살에 반짝이고, 그 사이로 무수한 벌들이 분주히 오가며 윙윙 날갯짓하는 소리로 조용해야 할 산사가 아침부터 요란하다.

선암사(仙巖寺)— 매화를 좋아하는 애호가들 사이에서 매화의 성지라고 일컬어지는 곳, 원통전 담장 뒤편으로 수령 600년이 넘은 매화나무가 활짝 꽃을 피우고 있고, 종정원에서 운수암으로 오르는 담장을 따라 수백 년 된 홍매(紅梅), 백매(白梅) 수십여 그루가 줄지어 늘어서서 진한 향기를 풍기며 저마다의 아름다운 자태를 드러내고 있다. 고색창연한 고목들, 오랜 세월의 무게를 고스란히 간직하며 비바람에 뒤틀리고 허리가 꺾인 채 굽을 대로 구부러진 나뭇가지가 텅 빈 허공으로 뻗어나가 희고 붉은 꽃잎들을 하늘 가득 매달고 있는 모습은 차라리 장엄하고도 처연하다.

매화의 기품이 어디에서 나오는지를 이제야 알 것도 같다. 꽃에 대해 심미안을 가지지 못한 나로서는 그동안 매화의 아름다움에 대해 느끼는 감정이라고 해봐야 관념적인 것에 지나지 않았다. 옛 선비들이 사군자 중의 으뜸으로 여겨 가장 아끼던 꽃, 아치고절(雅致高節)이니 빙자옥질(氷姿玉質)이니 하는 말로 우러르고 떠받들던 꽃이었으니 의당 그러려니 하는 생각이 들었지만, 한편으로는 일말의 의구심이 없는 것도 아니었으니 하얀 백매는 언뜻 보기에 살구꽃과 잘 구별이 되지 않았고, 붉게 피어나는 홍매 역시 복사꽃과도 별 아름다움의 차이를 느끼지 못한 게 사실이었다.

선현들은 왜 그리도 매화를 사랑했
을까? 어느 책에 보니 '저승에 갈 때 이
승에서 챙겨가야 할 몇 가지 품목 중의
하나가 바로 매화의 암향(暗香)'이라는
말도 나온다. 도대체 매화가 어떤 꽃이
기에 이런 생각까지 하게 되는 것일까?

이번에 매화를 찾아다니다 보니 그
동안 매화에 무지했던 나 자신에 대해
서도 스스로를 깨우칠 수 있는 계기
가 되었다. 매화의 본질적인 아름다움
은 꽃에 있는 것이 아니었다. 몸은 썩
을 대로 썩어 속이 텅 비어버린 줄기에
검버섯이 돋고 이끼가 끼어 언뜻 보기
에는 이승의 문턱을 넘어섰을 고목에
어찌 저리도 찬란한 꽃을 피울 수 있
단 말인가. 하얀 분을 허공에 뿌려놓은
듯, 붉은 연지를 점점이 찍어놓은 듯,
고목에 매달려 있는 꽃잎들은 그 자체
가 생의 경이로움이었다.

꽃이 피는 시기도 1월에서 3월까지 다양하다. 납월매(臘月梅)라
고 하여 가장 일찍 피는 매화는 음력 12월에 핀다고 하니 눈이 많이
내리는 한창 추울 무렵에 피는 셈이다. 추위에 아랑곳하지 않고 피
어나 눈을 덮어쓴 채 은은한 향기를 품어내는 매화의 고고한 자태,
매화를 사군자의 으뜸으로 치는 이유를 이제야 알 만하다.

盡日尋春不見春 (진일심춘불견춘)

芒鞋踏破壟頭雲 (망혜답파농두운)

歸來偶過梅花下 (귀래우과매화하)

春在枝頭已十分 (춘재지두이십분)

날이 저물도록 봄을 찾아 다녔지만 봄은 보지 못하고

짚신이 다 닳도록 언덕 위 구름만 밟고 다녔네

돌아와 우연히 매화나무 밑을 지나는데

봄은 이미 가지 끝에 한창이더라

중국 송나라 때 어느 여승이 지었다는 오도송(悟道頌) <심춘(尋春)>이라는 제목의 시라고 한다. 무엇을 깨달았을까? 깨달음은 밖에서 구하는 것이 아니라 이미 내 안에 있다는 사실이었을까. 그렇다면 나는 매화를 찾아다니며 무엇을 깨달았는가. 분분히 흩날리는 꽃잎을 보면서 지는 꽃도 저리 아름다울 수 있구나 하는 생각을 하고 있었던가.

매화의 고결한 기품과 은은한 향기를 받아 내 마음도 조금은 가벼워졌는가. 비록 깨달음까지는 아니더라도 저승 갈 때 가지고 갈 물건은 하나 챙겼으니 마음은 한결 넉넉해진다.

春冷探梅悤悤行 (춘냉탐매총총행)

深山閑寺暗香盈 (심산한사암향영)

造翁昨夜雪飛白 (조옹작야설비백)

仙女早朝臙粉頳 (선녀조조연분정)

古木千年豊盛瓣 (고목천년풍성판)
蜜蜂百里亂紛聲 (밀봉백리난분성)
心中滿載花淸氣 (심중만재화청기)
將渡來生覺步輕 (장도내생각보경)

봄기운 차가운데 매화 찾아 나섰더니
깊은 산 그윽한 절에 매화 향기 가득하네
간밤에 조물주가 하얀 눈을 내렸는가
이른 아침 선녀가 붉은 연지를 찍었는가
천년된 고목에 꽃잎이 가득하고
꿀벌은 사방에 요란하고 어지러워라
심중에 맑은 기운 가득히 담았으니
 저승길 건너갈 제 발걸음도 가볍겠네

4월의 관악산

봄·여름·가을·겨울, 두루 사시(四時)를 두고 자연이 우리에게 내리는 혜택에는 제한이 없다. 그러나 그 중에도 그 혜택을 가장 풍성히 아낌없이 내리는 시절은 봄과 여름이요, 그 중에도 그 혜택이 가장 아름답게 나타나는 것은 봄, 봄 가운데도 만산(滿山)에 녹엽(綠葉)이 우거진 이 때일 것이다. 눈을 들어 하늘을 우러러보고 먼 산을 바라보라. 어린애의 웃음같이 깨끗하고 명랑한 5월의 하늘, 나날이 푸르러 가는 이 산, 저 산, 나날이 새로운 경이(驚異)를 가져오는 이 언덕 저 언덕, 그리고 하늘을 달리고 녹음을 스쳐오는 맑고 향기로운 바람, 우리가 비록 빈한하여 가진 것이 없다 할지라도 우리는 이러한 때 모든 것을 가진 듯하고, 우리의 마음이 비록 가난하여 바라는 바 기대하는 바가 없다 할지라도 하늘을 달리고 녹음을 스쳐오는 바람은 다음 순간에라도 곧 모든 것을 가져올 듯하지 아니한가.

— 이양하 「신록 예찬」

매년 이맘때가 되면 이양하의 '신록 예찬'이라는 글이 떠오른다. 곱고 아름다운 언어로 마음을 풍성하게 해주고 서정적인 감성으로 메마른 가슴을 적셔주던 글, 한 줄기 훈훈한 봄바람처럼 힘들고 고단했던 학창 시절에 지친 마음을 어루만져 주던 글, 이런 글을 읽으면서 마음을 가라앉히고 정서적으로 좀 더 풍요롭게 채워갈 수 있지 않았을까 하는 생각이 든다. 그 아름다운 신록을 오늘만큼 제대로 누려보기도 실로 오랜만의 일이었다. 요즈음의 모든 산이 다 그렇겠지만 4월의 관악산은 말 그대로 신록의 대향연이었다. 불과 30여 분 올라왔는데도 시야는 탁 트여 일망무제로 산자락이 내려다보이는데, 사방을 둘러보아도 넓게 펼쳐진 산자락마다 보이는 것이라곤 녹음이 우거진 연초록의 잎새들, 온 산이 신록으로 부풀어오르고 있었다. 4월의 자연은 참으로 숨가쁘게도 달려왔다. 매화꽃이 피고, 노란 산수유가 피어나고, 개나리 진달래가 피고, 벚꽃이 피고, 목련이 피고, 라일락이 피고, 난쟁이 마을의 작은 꽃잎처럼 조팝나무에 하얀 꽃들이 무더기로 매달리고, 진달래가 진 자리에 철쭉이 이어서 피어나고, 꽃보다도 아름다운 연초록 신록이 피어나는 게 모두 4월에 일어나는 일들이다. 5월을 계절의 여왕이라고 하지만, 그 여왕의 자리를 이제는 4월에게 넘겨주어야 할 것 같다는 생각도 든다. 상엽홍어이월화(霜葉紅於二月花)라, 가을의 단풍이 봄꽃보다 더 아름답다고 노래한 시인도 있지만, 요즈음의 신록을 대하고 있으면 4월의 신록이 가을의 단풍보다 한 수 위라는 생각도 든다. 신록선어시월홍(新綠鮮於十月紅)이라고나 할까. 겨울 내내 삭막하고 메마른 가지에 어떻게 저렇게 아름다운 잎들이 피어나고 있는 것인지, 바라보고 있으면 자연의 신비에 서절로 마음이 경건해진다.

경건하여라
연초록 꽃잎으로 피어나는
산등성이들
뭉게구름이 일어나듯
일시에 온 산에 부풀어 오르는
무성한 이파리들
바라볼수록
풍성해지는 마음이여!

　관악산의 하이라이트는 역시 연주대이다. 높은 절벽에 석축을 쌓아 바위 벼랑에 조그만 암자를 지어놓은 것이 아래에서 올려다보면 아찔할 정도이다. 저렇게 높은 절벽 위에서 도를 닦으면 번뇌도 금방 사라질 것 같은 생각이 든다.

아슬아슬한 벼랑

그 위에 서면

미련도 욕망도 사라지는가

연주대

바위에 피어난 한 송이 꽃처럼

나도

천애의 벼랑에 기대어 서면

꽃잎이 지듯

아래로 아래로

번뇌도 욕망도

다 내려놓을 수 있을까

　연주대를 가장 멋있게 찍을 수 있는 포토존 옆에는 이 절이 연주암(戀主庵)이라고 부르게 된 유래가 적혀 있었다. 조선 개국 후 고려에 대한 연민을 간직한 사람들이 이 곳에 들러 개성을 바라보며 고려의 망해버린 왕조를 연모했다고 하여 붙여졌다는 이야기와, 또 하나는 조선 태종의 왕자인 양녕대군과 효령대군이 왕위 계승에서 멀어진 뒤 방랑하다가 이곳에 올라 왕위에 대한 미련과 동경의 심정을 담아 왕궁을 바라보았다 하여 연주대(戀主臺)라고 이름을 지었다는 것이다. 관악산에 몇 번 오다 보니까 익숙하다는 이유로 이 절을 무심히 지나치곤 했는데, 오늘은 시간도 넉넉하여 절 여기저기를 천천히 둘러보게 되었다. 매번 그렇듯이 요사채로 쓰이는 긴 마루에는 많은 사람들이 걸터앉아 휴식을 취하고 있었다. 나도 잠시 마루에 앉아 보았다. 이렇게 마루에 걸터앉아 보기도 오랜만인데, 여기에 앉아 앞산을 바라보고 있노라니 온통 초록으로 둘러싸인 깊은 산중에 와 있는 듯, 초록빛 바다 한가운데에 둥실 떠 있는 듯 머리가 몽롱해진다. 신록에 취하기라도 한 것일까. 뭉게구름이 뭉실뭉실 피어나 바람에 밀려오듯 신록이 나에게 밀려오는 느낌이다.

출세간(出世間)의 산중에서도

그리움은

깊은 산자락을 넘나드는 것인지

못내

잊혀지지 않는 그대

꽃이 질 때마다

당신은 자꾸만 떠오르는데

아직도 그리워할 마음이

남아 있었던가

떨쳐내지 못한 미련을

추스려가며

연주암 마루에 걸터앉아

잠시 세간의 삶을 내려놓는다

이 절에 추사의 글씨가 있다는 이야기를 전에 들어본 기억이 있어서 마침 옆을 지나가는 보살에게 물어보니 건물 한쪽 귀퉁이를 가리킨다. 손이 가리키는 곳을 따라가 보니 '무량수(無量壽)'라고 쓴 현판이 벽에 걸려 있고, 옆에 작은 글씨로 '완당'이란 호가 보인다. 무량수라. 몇 번의 유배를 다니면서 곡절 많은 삶을 살았던 그에게 무슨 미련이 있었기에 그는 무량한 삶을 꿈꾸었을까. 그에게 무량한 삶은 어떤 것이었을까. 부처님의 진리를 깨우쳐 죽어도 죽지 않는 영원의 삶이 그가 꿈꾸던 무량한 삶이었을까.

유랑한 삶이
무량한 글씨를 바라본다
헤아릴 수 없이 세월은 지나가는데
그 안에서
우리의 삶은 찰나의 순간
어찌하면
무량수(無量壽)의 삶을 이어갈 수 있을까

건물의 맨 끝자락 부분에는 '산천일석가(山川日夕佳)'란 현판도 걸려 있다. 역시 당대의 서예가이자 독립운동가인 오세창 선생이 쓴 글이라고 한다. 무슨 뜻일까. '산천이 해질 무렵 저녁놀에 한껏 아름답다'는 의미로 도연명의 시구에서 인용한 글이라고 한다. 굽이굽이 부드럽게 구부러진 글자를 바라보고 있노라니 몸도 마음도 유순해지고 따뜻해지는 느낌이다. 문득 해질 녘까지 이 마루에 이대로 앉아 산자락 아래로 붉게 물들어가는 저녁놀이 보고 싶어진다.

과천 향교 쪽으로 내려오는 길은 계곡 옆으로 난 길을 따라서 내려오는 길인데도 계단도 많고 길어서 다소 지루한 길이다. 그래도 길 옆으로 골짜기의 맑은 물이 나란히 흐르며 길동무를 해 준다. 그 맑은 물을 그냥 지나칠 수가 없어서 잠시 가던 길을 멈추고 개울가로 내려가 지친 발을 물에 담근다. 물이 얼마나 시원한지 발을 담그고 채 1분을 견디지 못할 정도로 발이 시린데, 한 동안 앉아 쉬다 보니 온몸이 개운한 것이 오던 길을 되돌아 다시 정상에라도 오를 듯한 기분이다.

내려오는 길가에 군데군데 복사꽃이 피어 눈길을 잡는다. 비록 절정을 지나긴 했지만 아직도 선홍빛 고운 자태로 매달려 한잎 두잎 떨어져 내리는 꽃잎들, 아, 올해의 봄도 꽃이 지듯이 이렇게 또 지나가는구나. 예순 한 번을 맞이하고 떠나보내는 봄, 전에는 그런 느낌이 별로 안 들었는데 요즘은 봄을 맞이하고 떠나보내는 마음이 점점 애틋해진다. 얼마나 더 저 꽃이 피고 지는 걸 볼 수 있을까? 서두르지 않고, 때를 어기지 않고, 더함도 덜함도 없이 늘 그만큼의 길을 걸어가고 있는 자연처럼, 우리 인간도 그저 자연의 순리를 받아들이면서 살아가는 것이 자연에서 배우는 삶의 지혜가 아닐런지…

여선재(餘禪齋)

차 한 잔에 마음을 내려놓는다. 천천히 걸어가도 되는 세월, 참 바쁘게도 달려왔구나. 잠시 쉬어가라고 가슴을 열어주는 여선재, 네 앞에서 잠시 발걸음을 멈춘다. 가을걷이가 끝난 들판처럼 마음도 넉넉하게 비워 놓았구나. 너를 만나러 가는 길은 고향길처럼 정겹다.

산자락 끌어다 둘러놓은 울타리, 그 울타리 넘어 날아온 나비 한 마리 지붕 위에 앉아 있다. 호접몽(胡蝶夢)을 꾸라 함인가. 내가 나비가 되어 한나절 놀다 가는 곳. 푸른 산언덕, 넓은 들판 하루 종일 돌아다니다 보면 내가 나무가 되고 바람이 된다. 앞마당 널찍이 자리한 평택호 출렁이는 물살처럼 네 안에서 나는 펄떡이는 물고기로 다시 살아난다.

황톳빛 고운 살결 네 모습을 보면 가슴이 뛴다. 오고 가는 사람들 모두 품어 마음 넉넉하게 채워주는 곳, 흐르는 물처럼 바람처럼 그렇게 살아가는 사람들이 모여드는 곳, 나무가 되어 바람이 되어 살아가고 싶은 사람들이 모여드는 여기는 복사꽃이 환하게 피어나는 마을.

먼 길을 마다 않고 달려오는 사람들이 있어
이곳은 늘 잠들지 않는다.

마이산(馬耳山)

신은 산을 만들고 인간은 탑을 쌓았다. 신은 커다란 바위를 들어 올려 두 개의 높은 산봉우리를 만들었다. 말의 귀를 닮았다고 했다. 산봉우리를 귀의 형상으로 만들어 놓은 까닭은 무엇일까? 신의 음성을 인간에게 전하기 위해서일까, 아니면 인간의 소리를 듣기 위함일까.

인간도 산자락 아래에 탑을 쌓았다. 오랜 세월, 정성을 다해 쌓아올린 돌탑을 통하여 인간은 자신의 염원을 하늘에 전달하고자 하였다. 그 돌탑 앞에서 기도를 하면 산 정상에 세워 놓은 귀를 통하여 신은 인간의 소리를 듣게 되는 것인가. 신과 인간의 조응, 자연과 인공의 조화, 마이산은 신과 인간이 함께 만들어 놓은 산이다.

이 곳을 찾는 사람들, 많은 사람들이 탑 앞에서 경건한 마음으로 두 손을 모아 기도를 한다. 무엇을 빌고 있을까. 기도하는 모습에서 간절함이 묻어 나온다. 소원을 빌면 신은 그 기도를 들어주는가. 아니면 경우에 따라 들어주기도 하고 안 들어주기도 하는가. 어쩌면 인간은 자신의 마음을 신에게 의지하여 마음의 위안을 얻고 있는 것인지도 모른다.

마이산 돌탑에 쌓아올려진 돌은 단순한 돌이 아니라 지고지순한 인간의 염원이 담겨 있는 돌이다. 인간의 염원이 담겨 있는 인간의 언어이다. 여기에 수십 년 동안을 얼마나 간절한 마음으로 저 돌탑을 쌓아올렸을까. 저토록 절실하고 지극한 염원을 담은 언어가 또 어디에 있으랴. 들릴 듯 말 듯 돌이 간직하고 있는 묵직한 언어들, 말들이 많은 세상, 온갖 어지러운 말들이 난무하는 세상에 돌에서 울려나오는 소리야말로 인간의 내면 깊숙한 곳에 자리잡고 있는 가장 진실하고도 믿음직한 언어이다.

돌에 인간의 손길이 닿으면 그때부터 돌은 인간의 마음이 담기게 된다. 인간의 피가 흐르고 인간의 혼이 스며들어간다. 밤낮을 가리지 않고 사시사철 비바람이 불어도, 눈보라가 치는 날에도 꿋꿋이 인간의 마음을 대신하여 우뚝 서 있는 인간의 영혼들, 저 돌들 앞에서 사람들은 또 얼마나 가슴 아픈 사연들을 풀어냈을 것이며, 애틋한 마음으로 두 손을 모았을 것인가. 돌은 인간의 마음을 담아내는 그릇이며, 인간의 간절함을

대신 전달해 주는 피조물이다. 그러므로 돌은 살아있는 생명체이다.

틈새 하나 없이 정교하게 짜맞추어진 원형으로 된 천지탑을 비롯하여 외줄로 하늘을 향해 차곡차곡 쌓아올린 무수한 탑들, 언뜻 보면 한 줄기 바람에도 금방 무너져내릴 것만 같은데도 백 년 비바람에도 끄떡없이 버티고 있다. 인간은 얼마나 무한한 존재인지, 인간

의 잠재력은 어디까지인지 마이산 돌탑을 보고 있노라면 여러 가지 생각들이 꼬리를 물고 일어난다.

　수직으로 서서 하늘을 향하고 있는 돌탑들, 그것은 하늘과 소통하고자 하는 인간의 염원이요 신의 세계에 좀 더 가까이 다가가고자 하는 인간의 집념이다. 어쩌면 이루어질 수도, 이루어지지 않을 수도 있는 아득한 꿈, 그러나 끝내 포기할 수 없는 염원, 그러기에 인간은 오늘도 돌탑을 쌓듯 부지런히 꿈을 쌓아올리고 있다.

화순 운주사(雲住寺)

　운주사 가는 길이 호젓하다. 인적도 드문 시골길, 일주문을 지나 산자락 아래로 넓고 평평하게 다져진 흙길을 걸어오르다 보면 마음마저 아늑해지는 기분이다. 천불천탑(千佛千塔)의 전설이 살아 있는 신비스런 절, 절 입구에서 조금 걸어 올라가다 보면 처음으로 마주치는 바위에서부터 그 전설은 시작된다.

　천 불과 천 탑을 하루 만에 세우면 새로운 세상이 열린다 하여 많은 석공과 동자승이 천불천탑을 하루만에 만들려고 밤을 세워 열심히 일하고 있었는데, 일에 싫증난 동자승이 일부러 닭울음 소리를 내자 석공들이 날이 샌 줄 알고 연장을 이 바위에 두고 갔다고 한다. 그리하여 붙여진 이름이 연장바위, 결국 천불천탑은 완성되지 못하고 새로운 세상이 열리지 못한 아쉬움을 간직한 절, 구름도 머물러 쉬어간다는 운주사(雲住寺)

\# 석공들이 연장을 놓고 떠났다는 연장바위, 절 입구 부근에 있다

운주사는 발길 닿는 곳마다
석불이요 석탑이다. 절을 둘러
싸고 있는 야트막한 두 산등성
이 전체가 야외 조각공원이고
거대한 자연박물관이다. 과연
이 곳에 천불천탑이 세워졌을
까. 지금은 석불 93구와 석탑
21기만이 남아 있다고 하는데,
옛 문헌으로 보아 조선 초까지
만 해도 절을 사이에 두고 양
옆으로 펼쳐진 산자락에 천불
천탑이 우뚝우뚝 솟아 있었다
고 하니, 그 규모가 도저히 짐
작이 가지 않는다.

산자락을 오르내리며 여기
저기 흩어져 있는 탑과 불상
들을 바라보고 있자니 제대로
된 탑과 불상이 거의 없다. 부
서지고 무너지고 마모되어 그
형태를 온전히 알아보기가 힘들 정도이다. 윤곽이 어느 정도 드러
나는 불상들도 왜 그리 못생겨 보이는지… 얼굴은 제각각이고 코는
길쭉하고, 마치 초등학생이 그린 그림처럼 천진스럽기까지 하다.

혼자 서 있기도 어려워 불상들은 커다란 바위에 비스듬히 기대어
있다. 마치 비를 피하기 위해 바위 밑에 나란히 서 있는 모습들이다.
불상을 마주하여 가만히 들여다보면서 마모되기 이전의 원래의 모
습은 어떤 모습이었을까 곰곰 헤아려보고 있으려니 못난 부처들이

오히려 정겹게 느껴진다. 못난 사람끼리는 말을 안 해도 마음이 서로 통하는 것일까. 불상이 문득 나에게 말을 걸어온다.

"이 곳에는 무슨 인연으로 왔느뇨?"

"못난 부처들이 많이 있다는 소문을 듣고서 왔습니다. 와서 보니 과연 소문대로요. 부처님 생긴 게 왜 다들 이 모양이오? 그런 얼굴로 어디 중생을 구제한다고 할 수나 있겠소?"

"야, 이놈아, 너나 나나 못난 건 마찬가지다. 넌 잘난 줄 아느냐?"

"그렇긴 허요만, 그래도 명색이 부천데 웬만은 해야 사람들이 찾아와서 손이라도 모으지 않겠소? 얼굴은 왜 그리 닳아가지고 원… 부처님도 세월 앞에서는 장사가 없구려."

"천 년 세월을 중생들 시름에 귀를 기울이다 보니… 부처라고 온전하겠느냐?"

"그렇게 오랜 세월 중생들 시름에 귀를 열어놓고 있었으면 모두가 고통 없이 잘 사는 세상이 와야 할 게 아니오?"

"중생의 고통을 들어주는 것만으로도 그들의 마음을 어루만져 줄 수 있는 것이니…"

"부처님은 참 세월도 좋소. 언제까지 그렇게 어루만져 주고만 있을 거요? 그나저나 저기 산에 누워 계신 부처님은 도대체 언제 일어나는 것이오?"

"꽃이 피자마자 열매가 맺기를 바라는구나. 때가 되면 그럴 날이 올 것이니…"

"천 년이란 세월이 지났소이다."

"천 년을 기다려 왔거늘… 다시 천 년을 못 기다리겠느냐?"

"불가에서 천 년이란 세월은 잠깐일지 모르지만, 중생들에게 천

년은 까마득한 세월이오."

"더 힘든 세월을 건너온 사람들도 많은데, 어찌 네가 살고 있는
   지금에야 새 세상이 열기기를 바라느냐?"

"살아가는 게 힘들고 고통스럽소."

"욕심이 많구나. 마음을 내려놓아라."

"가진 자와 못 가진 자, 서로 생각이 다른 사람들끼리 갈등이 심
   해지고 있습니다."

"잘 나면 잘 난 대로, 못 나면 못 난 대로 그렇게 살아가면 되는 것
   이다. 남 탓하지 말고, 그저 자신이 가야 할 길을 묵묵히 가다 보
   면 좋은 날이 올 것이다."

"………"

  별로 영험할 것 같지도 않는 부처와 얘기를 주고받다 보니 머리
만 더 복잡해지는 것 같아 다시 발길을 돌린다.

  석탑을 보면 더욱 기이한 모습이다. 어느 절에서도 보지 못했던
탑들이 여기저기에 즐비하게 서 있다. 원형으로 세워진 탑이 있는
가 하면 항아리를 포개놓은 듯한 탑이 있고, 실패처럼 생긴 탑도 있
고 석탑의 잔해를 아무렇게나 쌓아올린 탑들도 있다. 이제까지 우
리가 보아 온 탑에 대한 고정관념을 완전히 무너트리는 저 탑들을
보고 있으면 그저 놀랍고 신기할 따름이다. 어떻게 저런 탑을 만들
생각을 다 했을까. 이 탑을 만든 석공이야말로 자유분방한 상상력
을 가진 창조적인 천재라는 생각이 든다.

\# 호떡탑(호떡처럼 생겼다고 하여), 정식 명칭은 운주사원형다층석탑
\# 항아리탑, 정식 명칭은 운주사사발형다층석탑

이 절에서 가장 많이 알려진 것은 와불(臥佛)일 것이다. 계곡의
서쪽 산 능선에 누워있는 두 기의 와불, 이 절을 창건한 도선 국사
가 하룻밤 사이에 천불천탑을 만들어 세우고 이 와불을 마지막으로
세우려 하였으나 새벽닭이 울어 중단하고, 이후 천 번 째에 해당하
는 이 부처님이 일어나면 새로운 세상이 열리고 천 년 동안 태평성
대가 이어진다는 전설을 가진 부처, 민초들의 열망을 고스란히 담
고 있는 이 부처는 오늘도 변함없이 천 년의 세월을 누워 있다.

이제 일어나시라

오랜 전설에서 깨어나

누워 있는 몸 일으켜 세우시라

천 년의 세월

길고 긴 인고의 시간이었어라

질곡(桎梏)의 서러운 역사였어라

가슴 깊이 응어리진

핍박과 굴종의 삶이었어라

끊일 듯 끊어질 듯 이어져 온

저 피끓는 함성들

들리지 않는가

와불이여,

아직도 누워있는 부처여

새벽닭이 울기 전에

잠에서 깨어나듯

슬며시 일어나시어

민중의 삶 어루만져 주시고

새로운 세상 열어가시라

와불이 있는 곳에서 아래쪽으로 산자락을 내려오다 보면 맷돌처럼 생긴 거대한 바위 일곱 개가 땅에 누워 있다. 칠성바위라고 불리는 바위이다. 그 누워 있는 자리가 북두칠성의 위치와 같고, 바위 각각의 크기가 북두칠성의 빛의 밝기와 일치한다고 하니 거대한 원형의 돌이 북두칠성이 되어 누워 있는 셈이다. 이 바위에서 와불이 누워 있는 방향이 북극성이 있는 자리와 일치한다고 하니 이 또한 신비스런 일이 아닐 수 없다.

칠성바위

산에서 내려와 일주문으로 향하는 발걸음, 아쉬운 마음에 여기저기 우뚝우뚝 솟아 있는 탑들과 대웅전을 비롯한 여러 건물들을 다시 돌아본다. 그러다가 눈을 들어 다시 산등성이에 누워 있는 와불을 올려다본다. 언제쯤에나 저 와불은 일어날 것인가. 정말 누워 있는 와불이 벌떡 일어나 새로운 세상이 열리는 날이 오기는 하는 걸까. 한낱 전설에 불과한 이야기가 천 년을 이어져 오늘날까지 사람들의 입에 오르내리는 것은 그만큼 새로운 세상에 대한 열망 때문인지도 모른다.

걸어 내려오면서 대웅전 앞 종무소 건물의 기둥에 걸린 글씨가
자꾸 머리에 떠오른다.

兜率天宮何處在 (도솔천궁하처재)
龍華世界應當是 (용화세계응당시)

우리가 살아가는 이 세상이 바로 도솔천이요 용화 세상이란 말인
가? 어쩌면 누워있는 와불이 알듯 모를 듯 우리에게 전하고자 하는
말도 이 의미가 아니었을까? 일체유심조(一切唯心造)라, 우리가 바
라는 새로운 세상은 멀리 있는 게 아니라 진정 우리의 마음 속에나
있는 것인가?

도봉산 ①
— 오봉 능선

가깝고도 먼 산봉우리

도봉산에 봄이 깊어가고 있다. 우거진 나무와 짙은 녹음으로 산은 온통 푸르게 물들어가고, 그 위로 5월의 햇살이 내려와 나뭇잎들이 환하게 빛나고 있다. 무성하게 자라난 나뭇잎들은 길에 그늘을 드리워 길을 걷는 등산객들의 발걸음을 한결 시원하게 해 준다. 하지만 지금은 5월의 막바지, 계절적으로는 차라리 여름에 가까울 정도로 햇살이 만만치가 않다.

오늘 산행은 송추 계곡에서 출발하여 여성봉을 거쳐 오봉으로 올라가는 코스이다. 1차 목적지인 여성봉까지는 1.5km로 대략 1시간 정도면 올라갈 수 있는 거리였다. 올라가는 산길이 완만한 데다가 부드러운 흙길이어서 중간 지점까지는 그리 힘들지 않게 올라갈 수가 있었다. 하지만 점점 올라가다 보니 계단도 많아지고 초여름을 방불케 하는 햇살이 뜨겁게 내려쬐고 있어서 내내 땀을 흘리며 올라가야 했다. 그래도 중간중간 쉬어갈 때마다 시원한 바람이 불어와 더위에 지친 몸을 식혀 준다. 고마운 바람이다. 이 무더위에 바람마저 불지 않았더라면 산행도 많이 힘들었을 것이다.

이정표를 보니까 여성봉까지는 400m의 거리, 얼마 안 남은 거리인데 부지런히 올라가도 거리가 잘 좁혀지지 않는다. 더위에 지친 때문인지 걸음이 자꾸 느려진다. 높은 산이건 낮은 산이건 산에 오르는 것은 힘이 들게 마련이다.

여성봉

산봉우리 이름이 여성봉이었다. 여기 정상에 올라와서 앞에 있는 바위를 보고서야 여성봉이란 이름이 붙여진 이유를 알 수 있었다. 저 바위도 여인이 되고 싶었을까? 동굴 속에서 마늘과 쑥을 먹으면서 여인으로 환생하고자 했던 단군신화의 웅녀처럼 이 바위도 어쩌면 여인으로 환생하고 싶어했던 것인지도 모른다. 그러다가 끝내 여인이 되지 못하고 이렇게 바위가 되어 오랜 세월을 누워 있는 산봉우리.

여인이 되고 싶었을까
저 바위도 웅녀(熊女)처럼
여인이 되어
아들 딸 낳고 오순도순
인간으로 살아가고 싶었을까
전해 내려오는
그 흔한 전설도 없이

몸에 따뜻한 피가 돌기를

기다리며

오랜 세월

하늘을 향해 누워있는 산봉우리

　여성봉에는 사람들이 그 안으로 들어가지 못하도록 봉우리 앞뒤로 줄을 쳐놓고 국립 공원을 관리하는 사람 두 명이 나와서 지키고 있었다. 직원이 두 명씩이나 나와서 지키고 있다니… 2명의 근위병까지 세워 두고 당당한 자태로 누워 있는 바위, 등산객들의 시선은 아랑곳하지 않은 채 바위는 한가롭게 5월의 따가운 햇살을 즐기고 있다.

오봉이 바로 눈앞에

　몇 년 전이었던가. 북한산과 도봉산을 가르는 우이령 길을 걷다가 멀리 바라보이는 오봉의 모습을 본 적이 있다. 하늘 높이 솟아 있는 다섯 봉우리의 나란한 자태가 그렇게 멋있어 보일 수가 없었다. 언제 저기에도 한 번 올라가리라 하는 생각을 한 적이 있었는데, 오늘에서야 비로소 가까이 갈 수 있게 되었다.

　여성봉에서 조금 올라가니 오봉을 바라볼 수 있는 전망대가 만들어져 있다. 그 곳에서 사진을 찍으면서 바라보는 오봉의 모습은 참으로 멋진 풍경이었다. 미끈하게 다듬어진 바위들이 옹기종기 형제처럼 모여 있는 모습, 맨 앞에 있는 바위는 거북이가 고개를 들어 사방을 둘러보고 있는 형상이고, 가운데 좀 낮게 내려앉은 바위는 마치 코끼리 엉덩이를 연상시키듯 넓고 펑퍼짐했다.

　조금 더 올라가서 정상 부근에서 바라보니 오봉이 바로 눈앞에 파노라마처럼 펼쳐진다. 바위들의 우람한 자태가 손에 잡힐 듯 가깝게 보인다. 어느 힘센 장사가 저 큰 돌덩어리를 바위 위에 얹어 놓았을까. 신선이 내려와서 공기놀이를 하다가 그만 하늘로 올라가 버렸는가. 아무리 바라보아도 조물주의 재주가 신비롭기만 하다. 저 거북이 등에 올라타면 바다 속 용궁의 세계로 들어갈 수 있을까. 저 코끼리의 엉덩이에 앉아 있으면 밀림 속 원시의 숲으로 돌아갈 수 있을까.

　허공을 오르듯

의연히 솟아 있는 바위처럼

세찬 비바람에도

흔들림 없이 버티고 선 바위처럼

어깨 나란히 하고

다정하게 모여 지내는 바위처럼

세월의 연륜 속에서

깎이고 다듬어져

부드러운 얼굴을 하고 있는

저 바위들처럼…

봄날은 간다

♬♪ 연분~홍 치마가 봄바~람에 휘날~리~누~나
오늘도 옷고~름 입에 물고 ~~~ 봄날~은 간~다 ♪

등산을 마치고 내려와 산자락 아래에서 시원하게 생맥주를 마시는데 누구의 입에선가 이 노래가 흘러나왔다. 가는 봄이 아쉬웠던가. 노래가 애잔하다. 봄만 가고 있는 게 아니라 우리의 봄날도 지나가고 있구나. 우리 생애에 있어서 봄날은 언제였던가. 한 친구가 자못 감회에 젖어 지나간 날을 회상하며 한 마디 던진다. 고등학교를 졸업하고 반 친구들이 모두 모인 자리에서 신나게 기타 치며 노래부르던 그 시절이 아마도 자기 인생에서 가장 화려한 봄날이었던 것 같다고.

친구의 넋두리 때문이었을까. 아니면 정○○ 수사(修士)가 오늘 등산에 함께해서 그런 걸까. 학창 시절 활달하던 정 수사의 모습이 떠오른다. 체육대회 때 치마저고리를 입고 여장을 한 채 앞에 나와 열심히 응원하던 친구, 머리가 좋고 어학에 재능이 뛰어나 부러움을 받던 친구가 이제는 하느님의 부름을 받아 종교인으로서 조용한 삶을 살아가고 있다.

등하교를 같이하던 친구의 모습도 생각난다. 가을걷이가 끝난 논길을 가로질러 빙판에 미끌어지기도 하면서 학교를 같이 오가던 친구, 그중에 한 명은 연락도 끊어진 채 살아가고 있으니… 세월의 흐름 앞에서 자연은 변함이 없는데 인간의 삶은 참으로 무상하구나. 더 이상 어찌할 수 없이 세월은 자꾸만 흘러가고 있는데, 아아! 우리의 봄날도 이렇게 속절없이 지나가고 있는가.

주왕산 가는 길

길의 부름을 따라

뱃길, 철길, 고속도로, 산길, 들길, 이 모든 길들은 그냥 자연 현상이 아니라 우리에게 무엇을 뜻하는 인간의 언어이다. 언어는 인간만의 속성이다. 그러기에 인간만의 세계에 길이 있고, 길이 있는 곳에서 인간이 탄생한다.

길은 부름이다. 길이란 언어는 부름을 뜻한다. 언덕 너머 마을이 산길로 나를 부른다. 가로수 그늘진 신작로가 도시로 나를 부른다. 기적 소리가 저녁 하늘을 흔드는 나루터에서, 혹은 시골 역에서 이국의 부름을 듣는다. 그래서 길의 부름은 희망이기도 하며 기다림이기도 하다.

길은 우리의 삶을 부풀게 하는 그리움이다. 그리움의 부름을 따라 가는 나의 발길이 생명력으로 가벼워진다. 황혼에 물들어가는 한 마을의 논길, 버스가 오며가며 먼지를 피우고 지나가는 신작로, 산언덕을 넘어 내려오는 오솔길은 때로는 기다림을 이야기한다. 일터에서 돌아오는 아버지를, 친정을 찾아오는 딸을, 이웃 마을에 사는 친구를 부푼 마음으로 기다리게 하는 길들이 우리의 마음을 따뜻하게 한다. 길은 희망을 따라 떠나라 하고, 그리움을 간직한 채 돌아오라고 말한다.

- 박이문 「길」

길의 부름을 따라 아침 일찍 집을 나선다. 오늘 걸어가는 길은 매일같이 반복되는 일상의 길이 아닌, 그리움의 부름을 받아 걸어갈 길이다. 학교를 졸업하고 오랜만에 모여 떠나는 춘계야유회, 오늘만큼은 학창 시절의 옛날로 돌아가 도시락 싸가지고 소풍가는 기분들이다. 오랜만에 만나는 친구들도 많이 있다. 길은 흩어졌던 우리를 한 자리로 불러들여 굽이굽이 먼 길을 달려간다. 주왕산으로 가는 길이 아침 햇살을 받아 눈부시게 빛나고 있다.

주왕산 유람

언뜻 바라본 모습이 오래오래 강한 인상으로 남아 있는 사람이 있듯이, 입구에서부터 사람들의 마음을 단숨에 사로잡는 산이 있다. 주왕산이 바로 그런 산이다. 아직 산에 오르지도 않았는데 입구에 들어서자마자 사람들의 시선을 한눈에 잡아당기는 우람한 바위들의 모습, 하늘로 날아오르던 학이 두 날개를 활짝 펼치고 있는 듯 나란히 하늘 높이 솟아오른 바위의 모습은 이 산이 범상한 산이 아님을 미리 짐작케 해 준다.

계곡을 따라 올라가다가 오른쪽 산자락으로 조금 오르다 보니 산 옆으로 우뚝우뚝 솟은 바위들이 이어지고 그 위쪽으로 주왕굴이 보인다. 중국의 왕족 주도가 당나라에서 반정을 일으켰다가 실패하여

이곳에 와서 은둔하였다는 전설이 전해진다. 거기서 왼쪽으로 방향을 틀어 몇 발자국 올라가다 보니 앞에 시야가 훤히 트이는 맞은편으로 병풍처럼 둘러친 바위 성벽들이 눈앞에 펼쳐진다. 다른 산에서 보는

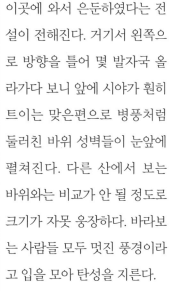

바위와는 비교가 안 될 정도로 크기가 자못 웅장하다. 바라보는 사람들 모두 멋진 풍경이라고 입을 모아 탄성을 지른다.

산자락 아래로 다시 계곡을 따라 조금 더 올라가다 보니 갑자기 하늘을 가릴 듯한 거대한 바위들이 앞을 막아선다. 그 바위들 사이 좁은 틈으로 사람들이 들락거리는데, 멀리서 보니 집채만한 바위 사이로 영락없이 개미들이 기어 드나드는 모습이다.

저곳이 바로 하늘로 통하는 문인가, 아니면 별천지로 들어

가는 입구인가. 때마침 길 옆에는 복사꽃도 활짝 피어 있으니 복사꽃이 떠내려오는 물가를 따라 저 좁은 바위 사이로 이끌리듯 걸어 들어간다.

하얗게 부서져 내리는 용추 폭포의 물소리를 들으며 바위 틈으로 들어가니 과연 속세와는 멀리 떨어진 새로운 세상이 펼쳐진다. 연초록으로 갈아입은 산은 천년 전의 모습 그대로 우뚝 솟아 있고 시냇물은 가는 듯 멈추어 있는 듯 한가히 흘러간다. 봄의 따사로운 햇살도 놀러나온 듯 수면 위로 나뭇잎 사이로 반짝이며 한낮의 무료한 시간을 보내고 있다. 시간이 멈추어버린 것만 같은 산골짜기, 맑은 시냇물가로 내려가서 모래밭에 앉아 있으려니 이곳이 바로 별천지였다.

산 정상 부근에나 올라가야 볼 수 있는 멋진 풍경을 1시간도 안 되는 걸음으로 유람하듯 올라와서 마음껏 감상하고 즐길 수 있는 산이 바로 이 주왕산이니, 이 산이야말로 인자(仁者)의 덕을 지닌 산이라 아니할 수 없다.

얼마쯤 내려오다 보니 빗방울이 떨어지기 시작한다. 가랑비 정도여서 그냥 맞으며 내려오는데 조금씩 굵어지더니 어느새 우박으로 변한다. 날씨가 따뜻하다 보니 제법 큰 우박덩어리인데도 내려오면서 반쯤은 녹은 상태로 떨어지다가 금방 녹아버린다. 한동안 우박인가 싶더니 다시 빗줄기로 변해 점점 굵어지는데, 옷이 축축해지는 것이 안 되겠다 싶어 뛰다시피 앞에 보이는 절간으로 들어갔다.

처마 밑에서 비를 피하는 것도 오랜만의 일인데, 거기에 서서 비가 내리는 산의 풍경을 바라보는 것도 또 하나 그윽한 정취가 아닐 수 없다. 이왕 산에 왔으니 미처 씻어내지 못한 속세의 때를 모두 씻고 가라는 뜻인가. 산의 명성에 걸맞게 짧은 시간 동안에도 날씨가 참 변화무쌍하다.

주산지 가는 길

　점심을 먹고 주산지로 향했다. 주산지는 산자락으로 둘러싸인 그리 크지 않은 저수지이다. 김기덕 감독의 <봄 여름 가을 겨울, 그리고 봄>이란 영화의 배경이 되었던 곳, 저수지 한가운데 조그만 절을 하나 지어 놓고 거기에서 벌어지는 인간의 삶의 모습을 사계절의 변화에 따라 그려낸 작품이다. 산골짜기 깊은 곳에 위치해 있어 예전에는 사람들의 발길조차 뜸했던 곳이 이제는 사람들의 왕래가 끊이지 않는 명소가 되었다. 이 영화 한편으로 산속에 조용하던 저수지가 하루 아침에 유명해졌으니, 이런 걸 보면 예술의 힘이 얼마나 큰 영향을 주는지 다시 한 번 실감하게 된다.

봄 여름 가을 겨울, 그리고 봄

　한 동자승이 있었다. 호수 위에 떠 있는 조그만 암자에서 노승과 함께 살아가는 천진난만한 아이, 친구도 없이 혼자 물가에서 잡은 물고기와 개구리에 돌을 매달아 괴롭히는 장난을 하면서 어린 시절을 보낸다.   <봄>

어린 동자승이 자라 소년이 되었을 때, 비슷한 또래의 소녀가 요양하러 산사에 들어온다. 소년의 마음은 소녀를 향한 사랑으로 타오르고… 소녀가 떠난 후 사랑에 대한 미련을 버리지 못한 소년은 산사를 떠난다.   <여름>

절을 떠난 후 십여 년 만에 배신한 아내를 죽인 살인범이 되어 산사로 도피해 들어온 남자, 분노와 고통을 이기지 못하고 괴로워하고 있는 남자에게 노승은 마룻바닥에 반야심경을 새기며 마음을 다스리게 하는데… 다음 날 경찰에 붙잡혀 그 남자는 떠난다.
                                                        <가을>

중년의 나이로 폐허가 된 산사에 다시 돌아온 남자, 이미 입적한 노승의 사리를 수습하여 거두고, 그동안 저지른 죄업을 다스리기 위해 산사에서 혹독하게 심신을 수련하며 겨울을 보낸다. 그러던 어느 날 절을 찾아온 이름 모를 여인이 어린아이를 남겨둔 채 떠난다.
                                                        <겨울>

노인이 된 남자는 어느새 훌쩍 자란 어린아이와 함께 산사에 다시 찾아온 봄날을 보내고 있다. 동자승이 된 아이는 옛날의 그 아이처럼 개구리에 돌맹이를 매달아 장난을 치고…   <그리고 봄>

삶은 되풀이되는 것인가. 인간의 욕망과 집착이 스스로를 파멸시킨다는 것을 알면서도 어쩔 수 없이 그 길로 들어서게 되는 삶의 허망함, 아무튼 영화를 보고 나서 인간의 삶이라는 것이 참 애잔하고 슬프다는 생각이 들었던 것도 같다.

그런데 그런 기억보다도 도대체 저기가 어디인가, 우리나라에 저렇게 아름다운 곳이 있었던가 하는 생각이 들 정도로 풍광이 참으로 멋진 곳이었다. 새벽에 피어오르는 하얀 물안개, 온 세상을 초록으로 물들어버릴 것만 같은 여름 산으로 둘러싸인 호수, 가을날 붉게 타오르는 단풍이 호수에 잠겨 수면 아래로 잔잔하게 비추던 모습들, 그 영화의 풍경에 매료되어 얼마 후에 주산지를 찾은 적이 있다. 막상 와서 보니 그냥 평범한 저수지에 불과하다. 여기가 영화의 촬영지였다는 걸 떠올리게 해주는 건 왕버들나무 몇 그루가 물속에서 자라고 있는 모습뿐, 배경이 되었던 암자는 해체되어 흔적도 없이 사라져버리고 없었다.

내려오는 길

주산지를 걸어 내려오면서 친구들 사이의 화제가 두발에 대한 이야기로 옮겨갔다. 머리가 많이 벗겨져 지하철을 타면 어르신이라고 자리를 양보하더라는 친구 이야기, 큰 맘 먹고 앞머리 부분에 머리카락을 심었다는 친구, 사업을 하면서 나이들어보이지 않으려고 노래방에 가면 젊은이들 노래를 열심히 부른다는 이야기 등등, 머리와 나이에 관한 이야기가 어느덧 우리들에게 중요한 화두가 되어버렸다.

이제 60의 나이, 나이가 들었다고는 지금까지 별로 생각지도 않고 지내왔는데, 이제 와서 생각해 보니 젊은이들이 보기에는 좀 그렇게 보일 수도 있겠구나 싶기도 했다. 아직은 가장으로서의 책임에서 완전히 벗어나지 못한 나이, 일에서 손을 떼지도 못하고 직장에서 위아래 사람들 눈치를 봐가면서 사회 생활을 계속할 수밖에 없는 현실이다 보니 외모에 전연 신경을 쓰지 않을 수도 없는 노릇이다. 친구들 이야기를 듣다 보니 머리카락이 빠지지 않고 온전하게 남아 있는 것도 큰 축복이구나, 다들 열심히 살아가려고 참 많이도 애쓰고 있구나, 그동안 생각 없이 재미삼아 건네던 말들이 친구에게 상처가 될 수도 있었겠구나 하는 생각이 들었다. '빛나리' 친구들이여, 그동안 미안했네.

되돌아보니 우리도 많은 세월을 걸어왔다. 때로는 즐거움으로, 때로는 슬픔으로, 아쉬운 마음에 가던 발걸음을 멈추고 되돌아보기도 하고, 누군가는 더 이상 돌아오지 못할 길로 가버린 친구도 있고, 이 길 위에서 가정을 이루고 자식을 낳아 교육을 시키고, 이제는 자식들 결혼도 시키고, 누구는 또 손주를 돌보며 그 재미로 살아가는 친구들도 있으니…

그래서 그런지 버스를 타고 올라오면서 한 친구가 부른 '어느 60대 노부부 이야기'란 노래가 가슴을 울린다. 우리들 이야기가 아닌가.

♬ 세월은 이렇~게 흘러 여기까~지 왔~는데~~
인생은 그렇~게 흘러 황혼에 기우는데~~ ♩♪

그러고 보니 자식들 시집 장가 보내고 홀가분한 마음으로 살아가는 친구들을 보면 부러운 생각도 든다. 나는 언제쯤에나 그런 날이 올까. 얼마나 더 걸어야 두 손 훌훌 털어버리고 유유자적하는 마음으로 살아갈 수 있을까. 끝을 알 수 없는 이 길을 오늘도 우리는 그저 묵묵히 걸어갈 뿐이다. 일모도원(日暮途遠)이라. 날은 저물어 가는데 갈 길은 아득하구나.

#여름

나무를 품고 바위를 품고
산자락을 품고
모두를 품어 흘러가는
저 강물처럼
우리네 마음도
그렇게 흘러갈 일이다
흐르고 흘러 더 넓은 곳으로
내려갈 일이다

강촌(江村) 역에서

청춘열차를 타도
청춘은 다시 돌아오지 않네

오랜만에 강촌에 온다
지난 날
우리들의 젊음이 머물던 자리
어디쯤이었을까
발을 담그고 마주 앉았던
밤하늘을 바라보며
별처럼 빛나고 싶었던 시절

출렁다리 아래
밤사이 몸을 불린 강물은
스스로의 무게로 떠내려가고
협곡처럼
강물 사이로 우뚝 선 산들은
예전의 모습 그대로인데
강물이 흐르듯
우리도 그렇게 흘러왔구나
세월의 물살에 출렁이며
그렇게 앞만 보고 달려왔구나
산을 오르는 친구들
이제 중년의 나이가 되어
무거워라

세월의 무게 견뎌내지 못하고
이마가 훤해졌구나

다시 찾을 날 있을까
먼 후일
되돌아볼 추억 한 자락 남겨두고
돌아서는 길
마음만은
여름 산처럼 푸르게 물들어
청춘 열차에 몸을 싣는다

계룡산 공주 갑사에서

108배를 하고 나니 몸이 흠뻑 땀에 젖는다. 강당을 나와 약숫물 한 바가지로 목을 축이고 근처 의자에 앉았다. 시원한 바람이 불어와 옷 속으로 파고 든다. 땀에 젖었던 몸이 일시에 시원해진다. 고마운 바람이다. 새벽 4시쯤이나 되었을까. 절집에서의 하루 일과는 어김이 없다. 새벽 3시에 일어나 아침 예불을 드리고 예불이 끝나면 108배를 하는 것으로 하루가 시작된다.

잠시 시냇가에 앉아 불어오는 바람에 몸을 맡긴다. 시냇물 흘러가는 소리가 시원하다. 쏴르르르 쏴르르르르. 흘러가는 물소리를 의성어로 정확히 표현해낼 수 있을까. 아무리 생각해 봐도 저 시원하게 흘러가는 시냇물 소리를 언어로 표현해낼 재간이 없다. 쉬지 않고 불어오는 바람은 나뭇잎을 흔들어 놓는다. 바람에 이리저리 흔들리는 가지마다 나뭇잎 부딪히는 소리 또한 귀와 눈을 시원하게 한다.

아직 어둠이 가시지 않은 새벽, 시냇가에 앉아 떠오르는 생각대로 몸을 내맡겨 본다. 나는 지금 어디에 와 있는가. 내가 여기에 와서 얻고자 하는 것은 무엇인가. 생각이란 무엇인가. 고요히 침잠하여 마음에 떠오르는 것이 생각이요, 어떤 사물을 보고 마음으로 느끼고 경험하면서 일어나는 것도 생각이요, 가만히 있어도 저절로 생기는 것도 생각이니 생각은 마음에서 일어나는 것이 분명한데, 그렇다면 마음은 또 어디에서 오는 것인가. 똑같은 사물을 보고도 사람마다 서로 다른 생각을 하는 것은 무엇 때문인가. 마음이 다르기 때문인가. 사람마다 생김새가 다르듯이 마음도 다 다른 것인가. 사람에게 생기는 병이 400가지가 있다는데, 그중에 300여 가지가 마음에서 생기는 병이라 하니 마음은 몸을 움직이는 근원인가.

지나온 삶에 대해 되돌아본다. 내 삶은 제대로 된 삶인가. 지난날의 삶에서 내가 잘못한 일들은 무엇인가. 나는 무엇을 참회해야 하는가. 어떻게 살아야 바르게 살아가는 것인가. 나와 알게 모르게 인연을 맺어왔던 주변 사람들, 그들은 나로 인하여 무엇을 얻었는가. 기쁨을 얻었는가, 슬픔을 얻었는가. 사람 사는 것이 모두 고해(苦海)라고 하였으니 그렇지 않아도 생노병사의 괴로움을 겪으며 살아야 하는 인간들의 고달픈 삶에 기쁨 하나 얹어주지 못한 나의 삶은 앞으로 어떻게 해야 하나.

제행무상(諸行無常), 이 세상에 무상하지 않은 것이 없으니, 살아가면서 육신은 늙어가고 병고에 시달리며 고통을 겪는가 하면 죽음 앞에서 영원히 이별하는 슬픔을 안은 채 오래오래 애태우기도 한다. 육신뿐이랴. 인간의 마음도 나뭇잎처럼 이리저리 흔들리며 사람들의 마음을 아프게 한다. 어제는 그지없이 즐겁고 기쁜 일이 오늘은 문득 떨어진 꽃잎처럼 시들해지고, 오래도록 변치 않을 것 같은 사랑의 마음도 세월이 지나면 여지없이 돌아서는 것이 사람의 마음이니 이로 인하여 얼마나 많은 사람들이 아픔을 간직한 채 살아가고 있는가.

생각은 꼬리에 꼬리를 물고 이어지는데 그 의문에 답해 줄 사람은 아무도 없다. 결국은 스스로 깨우쳐야 한다는 것, 삶은 결국 자기 자신이 살아내야 한다는 것, 주변의 무상(無常)함에 흔들리지 않고 스스로의 삶의 무게를 짊어지고 그 무게를 견디면서 살아가야 한다는 것, 그것이 우리에게 주어진 삶의 모습인지도 모른다.

어둠은 서서히 물러가고 부지런한 매미는 잠에서 깨어나 날이 밝아오는 것을 알리고 있는데, 나는 아직도 미명(未明)의 어둠에서 벗어나지 못하고 있다.

북한산 ①
― 진달래 능선

一片花飛減却春 (일편화비감각춘)
風飄萬點正愁人 (풍표만점정수인)
且看欲盡花經眼 (차간욕진화경안)
莫厭傷多酒入脣 (막염상다주입순)
‥‥‥‥‥

한 송이 꽃이 져도 봄빛이 깎이거늘
바람 불어 만 조각 흩어지니 시름 어이 견디리
지는 꽃잎 눈에 스치는 걸 바라보노라면
서글픔 많아지니 술 마시길 마다하랴

― 두보 「곡강(曲江)」

   꽃잎 하나 떨어지는 것에서도 시인은 봄이 깎여나가는 소리를 듣는가 보다. 봄이 떠나는 것이 슬퍼서 시름을 견디지 못하는 시인은 해마다 봄을 맞이하고 떠나보내며 얼마나 많은 술잔을 기울여야 했을까. 산을 붉게 물들이던 진달래와 철쭉은 진작에 사라지고 이제 산은 온통 초록으로 덮여 있다.

   꽃이 사라졌다고 해서 산의 아름다움이 모두 사라져버린 것은 아니니 꽃이 떠나간 자리에는 온통 신록으로 물들어 산을 찾는 사람들의 마음을 시원하게 해준다. 신록을 맞이하는 즐거움이 꽃을 보는 즐거움에 뒤지지 않는다. 산에 올라와서 푸른 산자락을 바라보고 있노라면 산의 싱싱한 정기가 몸과 마음에 스며드는 듯 나도 모르게 몸이 가뿐해지는 느낌을 받는다.

오늘 산행은 북한산 형제봉 능선으로 올라가서 진달래 능선으로 내려오는 코스, 처음에 북한산은 백운대와 인수봉이 전부인 줄 알았다. 그 뒤로 북한산 자락을 몇 번 오르내리면서 북한산이 보통 산이 아니구나 하는 걸 알게 되었고, 이번에 진달래 능선으로 내려오고 나서 도대체 북한산에 몇 개의 능선이 있는지 등산 지도를 펴놓고 들여다보았다. 정식으로 이름이 붙은 주 능선만 10여 개가 넘고 등산로는 수십여 갈래로 뻗어 있었다. 그동안 올라간 능선을 헤아려 보았다. 처음 백운대를 오르면서 밟은 원효봉 능선을 시작으로 사자 능선, 비봉 능선, 숨은벽 능선, 이번에 오른 형제봉 능선과 진달래 능선 등등 모두 헤아려 보아도 아직 절반도 되지 않는다.

정릉에 있는 국민대 입구에서 출발하여 형제봉까지는 1시간이 조금 넘는 거리, 출발 지점에서 얼마 오르지도 않았는데 바위들이 연달아 나타난다. 큰 규모는 아니었지만, 그 바위들을 타고 올라가는 산행도 그런대로 아기자기한 맛이 있었다.

형제봉을 지나 대성문에서 대동문까지는 산등성이를 따라 성곽으로 이어져 있었고, 그 성곽길을 따라 나란히 등산로가 나 있었다. 대동문 앞에 세워놓은 안내판에 그려진 그림을 보니 북한산을 빙 둘러가며 산 전체가 성곽으로 둘러싸여 있다. 적을 방어하기 위해 쌓은 성곽이 이제는 산에 오르는 사람들의 길잡이가 되어 주고 휴식처가 되어

대성문에서 대동문에 이르는 성곽길

주고 있으니 세월이 지나면 그 쓰임새도 따라서 변하게 되는 모양이다. 성곽을 따라 내려오다가 성벽에 뚫린 네모난 구멍으로 바깥 풍경을 바라보니 나무의 녹음이 더욱 선명하게 드러난다. 너무 많은 것을 보고 들으면서 살아가야 하는 세상, 때로는 조금만 보고 조금만 들어가면서 사는 것도 삶을 지혜롭게 살아가는 한 방편이라는 생각이 든다.

좁은 틈으로 바라보면
세상도 작아 보일까
보이는 것도 많고
들리는 것도 많은 세상
너무 많은 것들이
귀와 눈을 어지럽히고
마음마저 어수선해지면
여기, 이 산에 와서
조그만 구멍으로 세상을 바라보자
선명하게 떠오르는
그 하나만 가슴에 간직하고 살자

진달래 능선으로 내려오면서 내년에 꽃이 필 때 다시 오자고 다짐을 해 본다. 하지만 다시 생각해보니 내년에 이 약속이 지켜진다고 장담할 수도 없는 일이다. 꽃은 내년에도 다시 필 것이고 내년에 피는 꽃이 올해 핀 꽃과 다르지 않겠지만, 연연세세화상사(年年歲歲花相似)요 세세연연인부동(歲歲年年人不同)이라. 사람의 일은 내년이 아니라 당장 내일의 일도 기약할 수 없는 것이니 유구한 자연 앞에 무상(無常)하여라, 인간의 삶이여!

하지만 자연도 그리 유구한 편은 아닌 듯, 어렸을 때에는 봄이 오면 산에 지천으로 피어나던 것이 진달래였는데, 근래에는 산에 가도 진달래꽃이 그리 많아보이지 않는다. 그 많던 진달래꽃은 다 어디로 갔는지, 조금 더 세월이 지나면 진달래꽃 보기도 힘들어지는 건 아닌지 걱정이 된다.

수유리 쪽으로 내려와 버스를 타고 인사동으로 향했다. 안국동에서 인사동으로 가는 길은 사람들로 넘쳐났다. 일본어와 중국어, 다른 나라의 언어들이 낯설지 않게 들려와 외국 여행객들이 많이 찾아오는 곳임을 실감할 수 있다.

인사동에서는
천천히 걸어갈 일이다
사람들의 파도에 떠밀려
가는 대로 그냥 흘러가 볼 일이다
흐르고 흘러
옛 정취 묻어나는
좁은 골목길도 되돌아보고
역사의 향기에도 기웃거려가면서
한 마리 나비가 되어
시간의 저편으로
훨훨 날아가 보기라도 할 일이다

　북한산 산행으로 시작하여 인사동에서 마무리하는 오늘의 일정, 녹음이 우거진 산길을 걸으며 눈의 즐거움을 만끽하였고, 인사동 골목에서 풍겨나오는 오롯한 옛 정취에 취해 과거로의 시간 여행에 잠시 젖어보기도 하였다.

마음이 넉넉해지고 풍요로움이 밀려오는, 오감이 충만해지는 하루였다.

장봉도에서

장봉도에서는
비행기도 갈매기처럼 날았다
수면에 배를 대고 낮게 낮게 날아가는
갈매기들
그 울음 소리에
바다는 하루 종일 출렁거렸다

밤새 뒤척이는 물살을 달래느라
섬은
새벽까지 불을 밝히고
가슴 깊숙이 바다를 끌어안았다

바람이 살아
온몸으로 밀고 올 때에도
흔들리지 않고 품어주는 섬의 모습은
아름다웠다

섬의 품안에서 순화된 바람은
우리의 온몸을 상쾌하게 어루만지며
자꾸만 손을 잡아당겼고
그 바람의 살을 부비면서 돌아다니는 길엔
어디에서도
시간의 흔적을 발견할 수 없었다

밤이면
물살이 열어놓은 갯벌에
소라가 꽃처럼 피어나는 곳
그곳에서 우리는
팽팽히 당겨진 일상의 닻줄을 풀고
가장 느린 걸음으로
여름의 한나절 속을 서성거리고 있었다

홍도(紅島)에서

여기에 오면 누구나 섬이 된다
홍도에서는 사람도
건물도
모두 자연의 아름다움에 묻힌다
언덕 위에 모여 있는 빨간 지붕들
그것을 이국의 풍경인 냥
바라보는 사람들
지붕들 사이로 난 골목길
비탈진 산자락에 지천으로 피어 있는
원추리꽃
깃대봉을 오르는 나무 계단
모두가
섬을 이루는 풍경들이다
해변에 모여
어깨 비비며 뒹굴고 있는 돌멩이들도
줄무늬 옷을 입은 채
여기에서 태어나
섬이 되었다

애초에는
절해(絶海)의 고도(孤島)였을
이 섬에
바다 깊숙이 뿌리를 내린
바위들에게 비바람이 몰아치고

파도가 일렁이고

붉은 노을이 지나가고

그 노을빛으로

오랜 세월

바위의 속살도 붉게 여물어가고

소나무 동백나무 산죽나무들

떼지어 몰려와 숲을 이루고

섬이 되었지만

사람의 발길이 닿고

그 발길 따라 사람이 오가면서

섬은 비로소 섬이 되었다

어둠이 내리고

바다 저편에서 바람이 불어오면

사람을 홀린다는 전설 속 사이렌처럼

사람들의 발길은 어느새

방파제로 향한다

노을에 잠기는 바다

불어오는 바람의 무늬를

몸에 새기며

바람과 하나가 되는

너와 내가 붉게 물들어가는

내가 너가 되고 섬이 되는

그리하여 너를 사랑하는 것이 나를

사랑하는 것임을

이 섬에 와서야 알게 되었다

설악산 ①
— 서북 능선

산은 그리움이다.

> 잔 들고 혼자 앉아 먼 산을 바라보니
> 그리던 임이 온다 한들 반가움이 이러하랴
> 말씀도 웃음도 않지만 나는 못내 좋아하노라
>
> — 「 윤선도의 시조 」

　예나 지금이나 인간에게 있어서 자연은 마음의 고향이요, 어머니의 품속과 같은 존재이다. 벼슬에서 쫓겨나고 시류(時流)에 초연하고자 할 때 옛 선비들은 자연을 벗삼아 풍류의 삶으로 마음의 상처를 달랬으니, 산이 얼마나 좋았으면 그리운 임이 찾아온 것보다 더 반갑다고 했겠는가?

　우리의 삶도 마찬가지다. 직장에서 밀려나고 사업에 실패하고 오갈 데 없는 이 시대의 가장들에게 위안이 되고 안식처로 찾아갈 수 있는 곳이 산이다. 잘난 사람이나 못난 사람이나 차별 없이 받아주는 곳, 찾아오는 모든 사람들을 어머니처럼 품 안에 거두고 말없이 어루만져 주는 산, 그래서 오늘도 사람들은 산에 오른다. 그 산에서 사람들은 마음의 상처를 달래고 좌절과 실의의 마음을 가라앉힌다.

　사람들은 묻는다. 땀을 뻘뻘 흘리면서 힘들게 왜 산에 오르느냐고? 그것은 산이 마음의 고향이기 때문이리라. 명절 때 길이 막혀 열 몇 시간씩 차에 갇혀 고생하면서도 굳이 고향을 찾아가는 이유가 여기에 있을 것이다. 산을 찾아가는 마음은 고향을 찾아가는 발걸음처럼 언제나 푸근하다. 살아가면서 힘들고 지칠 때, 마음이 허전할 때 산에 오르면 산은 언제나 말없이 우리를 맞아준다. 우리의 마음 한구석에 늘 고향이 자리하고 있듯 바쁜 일상 중에서도 자연에 대한 마음이, 산에 대한 그리움이 우리의 마음 한켠에 늘 자리잡고 있는 것이다.

그러므로 산은 그리움이다. 그 그리움의 근원을 찾아 우리는 산에 오른다. 높은 산에 올라 굽이굽이 펼쳐져 있는 유려한 산자락을 바라보고 있노라면 고향의 품 같은 아늑함을 느낀다. 땀 흘려 올라간 자의 가슴을 시원하게 해주는 멋진 풍광(風光)이 있기에, 산모퉁이를 돌아설 때마다 우뚝우뚝 솟은 바위가 있고 낙락장송 큰 나무들이 가지를 흔들어 우리를 손짓하기에 산행의 힘든 것도 잊어버리고 사람들은 다시 산을 찾게 된다. 내가 가고 싶을 때마다 늘 그 자리에서 나를 기다리고 있는 산, 삶이 무료하고 마음이 허전할 때마다 부담 없이 찾아갈 수 있는 친한 친구 같은 산, 보고 싶을 때 언제나 만날 수 있는 애인 같은 산, 그래서 산은 우정이고 사랑이다.

걱정 반, 설레임 반으로

이번 산행은 설악산 서북 능선이다. 막상 가려고 하니 걱정이 앞선다. 한계령에서 대청봉을 거쳐 천불동 계곡으로 이어지는 거리는 18.6㎞로 12시간의 거리, 대청에서 오색으로 내려온다 하더라도 10여 시간이 걸리는 거리였다. 근래에 10시간 이상 산행을 한 적이 없는 터라 아무래도 걱정이 되지 않을 수 없었다.

고등학교 산악회에서 주관하는 산행이었다. 밤 11시에 사당을 출발한 버스는 밤을 달려 설악산 자락에 있는 설악휴게소에 새벽 1시 반쯤에 도착하였다. 차는 여기에서 잠시 주차했다가 출발한다고 한다. 한계령 휴게소 뒤편에서부터 시작되는 등산로는 새벽 3시에 개방한다고 하니 그 시간에 맞춰 출발한다는 것이다.

무박 산행이다 보니 서울에서 여기까지 오는 2시간 정도가 고작 잠자는 시간이었다. 그것도 차 안에서 제대로 잠이 올 리가 없다. 설악휴게소에 도착해 보니 대형 버스 몇 대가 주차해 있었다. 설악산으로 야간 산행을 하려는 사람들이 타고 나온 차들이다. 이 휴게소를 포함하여 설악산 주변의 주차장에 있는 차들을 모두 따져본다면 얼마나 많은 사람들이 이 야심한 밤에 잠도 안 자고 산행을 하러 나왔을 것인가. 우리가 일상적으로 살아가는 삶의 궤도와는 다른, 또 다른 세상이 우리 주변에 펼쳐지고 있었다. 집에서 저녁도 안 먹고 왔는지 그 시간에 차에서 내린 많은 사람들이 식당에 앉아서 식사를 하고 있었다.

불빛 하나로 어둠을 밝히며

3시가 조금 안 되어 한계령에 도착하였다. 차에서 내려 배낭을 정리하고 등산화 끈을 다시 조이고 있는데 깜깜한 하늘에 초승달이 떠 있다. 가만 있자, 저걸 초승달이라고 해야 하나, 그믐달이라고 해야 하나. 손톱같이 생긴 조그마한 달이 밤하늘에 밝게 빛나고 있었다. 이 시간에 잠을 안 자고 달을 바라본 적이 언제였더라?

3시에 문이 열리고 산행이 시작되었다. 머리에 두른 해드랜턴 하나에 의지하여 어두운 산길을 걸었다. 깜깜한 어둠 속에 오직 랜턴 불빛만이 도깨비불처럼 이리저리 어지럽게 길을 비추고 있었다. 등산 행렬은 길게 이어져 있어 가다가 지체되다가를 반복하였는데, 지체되는 시간이 쉬는 시간이어서 처음에는 그리 힘들지 않게 무리를 지어 나갈 수 있었다. 걸어가면서 하늘을 보니 수많은 별들이 반짝이고 있다. 여기에 오니까 별도 볼 수가 있구나. 저렇게 많은 별을 본 것도 오랜만이었다.

등산길은 시작부터 계속 계단을 오르고 비탈길을 오르는 여정이었다. 그렇게 30여분을 걸어 올라갔을까. 벌써 힘이 부치는 듯 땀이 나기 시작한다. 밤이라 날씨도 선선하고 바람도 시원하게 불어 등산하기에는 좋은 날씨였는데도 불구하고 갈수록 땀은 등줄기를 타고 줄줄 흘러내리기 시작하였다. 쉼 없이 땀을 닦아내며 가다 쉬다를 반복하며 1시간을 그렇게 오르막길을 걸었다. 그러다 보니 온몸이 땀으로 젖어 있었다. 이럴 때마다 산에 온 것이 후회가 된다. 내가 무슨 구경을 하겠다고 이 고생을 하는가. 어느덧 하늘이 희뿌연하게 밝아오고 있었다.

그렇게 1시간을 오르다 보니 이번에는 내리막길로 이어진다. 이제부터는 오르막길이 끝나는가 싶어 다소 안심을 하고 있는데 웬걸, 오르막과 내리막이 계속해서 반복되고 있어 힘들기는 마찬가지였다. 그렇게 또 1시간을 걸었다. 한계령을 출발한 지 2시간, 어느덧 삼거리에 다다랐다. 여기에서 길이 갈라지는데 왼쪽으로 가는 길이 귀때기청봉이고, 오른쪽으로는 대청봉으로 이어지는 길이었다.

자연은 저리도 장엄한 것을

날이 부옇게 밝아오고 있었다. 밤새 어둠에 갇혀 있던 초목들이 부시시 눈을 뜨고 우리들 곁으로 다가온다. 산행객들의 발길에 제대로 잠도 이루지 못했으리라. 지친 다리를 이끌고 한쪽에 자리를 잡고 앉아 잠시 쉬었다. 그러는 사이 동해 바다 쪽에서 붉으스레한 기운이 뻗어 올라오더니 금새 날이 밝아지고 해가 떠오르기 시작한다. 아침 5시가 조금 넘어선 시각이었다. 하늘에 떠 있는 구름이 점점 붉어지더니 온 하늘을 붉게 물들이려는 듯 사방으로 퍼져 나간다. 빨갛게 달구어진 화로처럼 주변이 온통 핏빛으로 물들어갔다. 그 붉은 기운을 받아 어둠 속에 가려져 있던 산들이 여기저기서 불쑥불쑥 웅장한 자태를 드러낸다.

굽이굽이 이어진 능선 길
힘차게 밟고 가라고
출렁이는 파도 속 시뻘건
해가 뜬다
힘든 세상 뜨겁게 살아가라고
붉게 타오르는
화롯불 같은 해가 뜬다

온통 하늘을 찌를 듯한 바위들의 위용이 파노라마처럼 펼쳐져 있다. 앞으로 보이는 산자락이 이름만 들어도 무시무시한 용아장성이고 그 뒤로 겹겹이 이어진 공룡능선의 긴 행렬이 한눈에 들어온다. 그 옆으로도, 그 뒤로도, 또 그 뒤로도 보이는 것은 오로지 하늘로 솟아오른 바위들뿐이다. 수많은 장수들이 창검을 높이 들고 적진을 향해 달려나가는 듯, 수천 수만의 야생마들이 하늘을 향해 머리를 쳐들고 갈기를 휘날리며 천릿길을 단숨에 달려가려는 듯, 그 웅장한 모습에 넋을 잃고 바라보느라고 한참이나 발길이 떨어지지 않았다. 아, 저게 바로 설악산의 모습이구나. 길들여지지 않은 야생마의 모습, 두어 시간 땀을 뻘뻘 흘리며 걸어온 고생이 한순간에 보상받는 기분이다.

공룡의 등뼈인가

용이 이빨을 드러내고 울부짖고 있는가

수많은 장수들이

창검을 높이 쳐들고 있는 듯

무수한 야생마들이

머리를 들어 하늘로 뛰어오르는 듯

장엄하여라

영원히 길들여지지 않을

설악의 위용(威容)이여!

산이 되고 구름이 되어

여기 삼거리까지가 힘든 구간이고 이제부터는 능선을 타고 가는 길이라 그리 힘들지 않게 갈 수 있다고 한다. 하지만 여기까지 걸어 온 거리가 2.3㎞에 불과하고, 앞으로 중청을 거쳐 대청봉 정상까지는 6㎞가 남았으니 거리상으로 따져보면 3분의 1밖에 오지 않은 셈이다. 날이 밝으니 여기저기 산의 웅장한 모습들이 한눈에 다 들어온다. 왼쪽을 바라보니 산 전체가 기암괴석으로 하늘을 찌를 듯 무수히 벌여 있고, 오른쪽을 바라보니 말의 등처럼 유순하게 뻗어나간 산등성이가 겹겹이 포개어진 채 끝없이 펼쳐져 있다. 산자락에 점점이 박힌 바위들이 어디를 향해 가는 듯 긴 행렬을 이루고 있는가 하면 히말라야 산맥 어디에 있다는 붉은 암벽처럼 햇빛을 받아 붉은색으로 빛나는 산봉우리도 있었다.

산이 깊어서인지 나무들도 가까운 산에서는 볼 수 없는 우람한 아름드리 나무들이 즐비하다. 군데군데 잘 자란 소나무가 가지를 늘어뜨린 채 의연하게 버티고 있는가 하면, 여기저기 고사목들이 아직도 건재함을 과시하려는 듯 껍질이 벗겨진 채로 당당하게 서 있다. 죽어서도 의연하게 서 있는 나무들, 삶과 죽음이 하나로 어우러져 죽음이 삶의 연장선에서 새로운 삶을 살아가고 있는 곳, 삶과 죽음의 구분이 없는 나무들이 제각기 자기 자리에 서서 자연의 일부가 되어 산의 풍경을 한껏 풍요롭게 해 주고 있었다. 깊은 산 속에서만 볼 수 있는 절경이었다.

산에 와서 나도

나무가 되자

산 깊은 곳 벼랑이라도 좋으니

아름드리 소나무로 서 있자

바람이 세차게 불어오면

바람에 등을 대고

바람에 기대어 살아가자

때가 되면

나도 고사목으로 서서

천 년 만 년

죽어서도 저리

의연하게 버티고 서 있자

산자락 사이로 운해(雲海)가 피어오른다. 그야말로 구름의 바다다. 조물주가 산의 저쪽에만 바다를 만들어 놓은 게 아쉬웠던지 이쪽으로도 구름으로 다시 바다를 만들고 있다. 그 구름의 물결들이 산자락을 타고 넘실거리며 올라오고 있다. 점령군처럼 밀고 들어오는 그 기세에 눌리었는지 산도 어쩌지 못하고 가슴을 열어 운해를 받아들인다. 구름 바다에 목욕이라도 하고 싶은 걸까. 높은 봉우리의 부름을 받았는지 솜뭉치처럼 뜯겨진 한 덩어리의 운해가 무리에서 떨어져 나와 산봉우리로 향하고 있다. 저리도 당당하게 산자락을 누비고 다니는 것도 아침 한나절 잠깐 사이의 일일 것이요, 구름은 일순간 흔적도 없이 흩어져 사라질 것이니 그리하여 무상한 것이 구름이요 인생이라 했던가.

우리네 삶도 저 구름인 것을

구름처럼 피어나

구름처럼 사라지는 것을

구름이 산자락을 스치듯

우리 인생도 그렇게

소리 없이 스쳐 지나가는 것을

뜬구름 같은 세상인 것을

이왕 힘들게 올라왔으니 아름다운 경치를 제대로 즐기면서 쉬엄
쉬엄 걸어나간다. 산자락을 돌아 새로운 봉우리가 나오면 잠시 멈

췌 서서 바라보고, 또 한 모퉁이를 돌아서다가 힘들면 다시 쉬어 가고, 그렇게 천천히 가다 보니 어느새 우리 일행이 맨 뒤로 처지게 되었다.

산에 오르다 보니 산길 주변에 이름 모를 꽃들이 군데군데 피어 있다. 높은 산에서 피어나는 꽃이라 산 아래쪽에서는 볼 수 없는 꽃들이었는데, 올라가면서도 계속 처음 보는 꽃들이 아름다운 자태를 드러내고 있다. 누구를 기다리고 있는 걸까. 저 꽃들이 저리도 환하게 피어나기까지 얼마나 많은 비바람에 시달렸을까. 아무도 보아주는 이 없는 이 깊은 산중에서 저들은 또 혼자서 얼마나 쓸쓸히 사라져갈까.

이름 모를 꽃이여
어쩌다 이 깊은 산중에
홀로 피어나는가
바람에 흔들려
쓰러질 듯 쓰러질 듯
가녀린 얼굴
수줍은 듯, 고고한 듯
남몰래 피었다 사라지는
슬픈 아름다움이여!

　　중청휴게소에 도착하니 우리보다 먼저 도착한 친구들이 휴게소 앞 넓은 마루에 둘러앉아 라면을 끓이고 있다. 햇볕이 직선으로 쏟아지는 휴게소 앞마당은 뜨거웠다. 그 뜨거운 한여름 햇빛을 받아가며 뜨거운 라면을 먹는 그 맛을 뭐라고 표현해야 하나. 한겨울에 산에 올라가서 냉면을 먹는 기분이라고 해야 하나. 추운 겨울날 시린 손을 비벼가며 먹는 라면 맛에야 견줄 수 없었지만, 무더운 여름날 높은 산에 올라와서 먹는 라면 맛도 어디에서 맛볼 수 없는 별미였다. 한 친구가 열심히 라면을 먹고 있는 우리 옆에 다가와서 한마디 한다. "뜨거운 태양 아래 땀에 젖은 라면을 함께 먹어보지 않은 친구와는 우정을 논하지 말라"

늘 제자리에 있는 산처럼

　아침을 라면으로 때우고 중청휴게소에 모여 기념사진을 찍었다. 시간이 좀 지체되어 천불동 쪽으로 내려가는 팀은 서둘러 내려가고, 오색으로 내려갈 사람들은 정상인 대청봉으로 향했다. 중청에서 바라보는 대청봉의 모습은 우람하고도 의연했다. 산봉우리는 우뚝 서서 하늘과 맞닿아 있었고, 산자락에는 키작은 관목들이 빽빽이 들어서서 푸른 갑옷을 입은 장수처럼 웅장한 자태로 버티고 서 있었다.

바위들이 줄지어 산에 오른다
성지를 향해 길을 떠나는
순례자처럼
뜨거운 햇빛 속에서도
나란히 서서
묵묵히 발길을 옮기고 있다

나무들도 사방에서 산에 오른다
산을 빙 둘러싸고
낮은 자세로
무리 지어 어깨동무하고
저 높은 곳, 하늘과 맞닿은 자리
아름다운 성지
대청봉(大靑峰)을 향하여!

산 정상에 오르니 온 세상이 한눈에 다 내려다보인다. 동해 바다 쪽으로는 산자락이 모두 안개에 뒤덮여 있고 북쪽으로는 기암괴석이 즐비하게 우뚝우뚝 솟아 있는데, 높이 솟은 바위 사이를 운무가 자기 놀이터인 듯 이리저리 헤집고 다니고 있다. 남쪽과 서쪽으로는 나무로 덮인 푸른 능선들이 굽이굽이 아스라이 펼쳐져 있다. 멀리 왼쪽으로 울산바위가 옹기종기 모여 허공에 솟아 있는 모습도 보인다.

\# 설악산 정상에서 내려다본 모습

산 정상에는 '대청봉'이라고 붉은 글씨로 새겨진 표지석이 우뚝 서 있어 올라온 사람들이 그 옆에 서서 사진 찍기에 바쁘다. 예전에는 사람들이 너무 많아 한참을 기다렸다가 겨우 사진을 찍을 수 있었는데, 다행히도 오늘은 등산객들이 많이 몰리지 않아 한 사람 한 사람씩 여유 있게 사진을 찍을 수 있었다.

대청봉 표지석 바로 왼쪽 암벽에는 '樂山樂水(요산요수)'라는 글씨가 돌판에 새겨져 박혀 있다. '인자요산(仁者樂山) 지자요수(智者樂水)'를 줄인 말이다. 산은 언제나 묵묵히 그 자리에서 변함이 없으니 어진 자의 덕성을 갖추었고, 물은 흐르고 막힘이 없어 항상 변화를 추구하기에 지혜로운 사람과 같다는 것이다. 그런 거 같기도 하고 아닌 거 같기도 하고... 갖다 붙이기 나름이긴 하겠지만, 그래도 공자님께서 하신 말씀이니 지당하신 말씀이라고 생각하고 받아들이는 수밖에…

내용이야 어떻든 간에 우리도 어진 사람처럼 산을 좋아하고, 지혜로운 사람처럼 물을 본받으면서 살아가자. 천년이 지나도 변함없이 늘 제자리에 있는 산처럼 흔들리지 말고 굳은 마음으로 살자. 늘 쉬지 않고 아래로 흘러가는 물처럼 낮은 마음으로 살자. 고지식한 틀에 얽매어 있지 말고 매일매일 스스로를 새롭게 하면서 새로운 마음으로 하루하루를 살아나가자. 그리하여 우리도 산이 되고 물이 되자.

오색으로 가는 길

대청봉에서 오색약수터로 내려가는 길은 가파르다. 천불동 계곡으로 내려가는 길보다 거리상으로는 많이 가깝지만, 처음부터 끝까지 가파른 계단으로 되어 있는 데다가 경사도 심해서 내려가기에는 무릎에 무리가 많이 가는 길이다. 그렇다고 저쪽으로 가기에는 너무 길었다. 얼마쯤 내려오다 보니 오른쪽 무릎이 시큰거리고 통증이 느껴진다.

한참을 내려오니 계곡으로 물줄기가 흐른다. 오아시스를 만난 기분이었다. 신발과 양말을 벗고 들어가서 하루 종일 걷느라고 피곤해진 발을 물에 담갔다. 물이 차가워서 오래 담그고 있을 수가 없었지만, 발바닥에서부터 시원한 느낌이 그대로 온몸으로 느껴졌다. 몸이 한결 가벼워진 기분이다.

몸은 힘들어도 마음은 가뿐하여라

오색약수터 주차장까지 내려오니 오후 3시, 설악동 쪽으로 내려오는 친구들과 합류하기 위해서 차를 타고 그쪽으로 이동했다. 1시간 정도 기다렸을까. 등산을 무사히 마치고 내려오는 친구들의 모습이 보이기 시작했다. 다들 대단했다. 근처에 있는 식당으로 이동하여 저녁을 먹으면서 일행 모두가 무사히 산행을 마친 것을 자축하였다. 오랜만에 설악산을 종주했다는 사실에 모두들 기분이 고조되어 있었다.

설악산을 종주했다는 사실만으로도 이제는 어느 산이라도 오를 것 같은 기세들이었다. 아니나 다를까. 이 여세를 몰아 다음에는 해

외 산행을 하자는 말로 이어졌다. 이러다가는 히말라야 등반이라도 갈 듯한 분위기였다. 아닌 게 아니라 히말라야에 가자고 하면 어떻게 해야 하나. 가야 되나 말아야 되나.

설악산 산행— 일단 간다고 하고 나서부터 마음이 오락가락하였다. 어떤 때는 뭐, 왕년에는 그보다 더한 산행도 하였는데 하면서 마치 소풍가는 아이처럼 등산가는 날이 기다려지기도 하였다가 어떤 때에는 이러다가 무릎이 망가지는 게 아닌가 하는 걱정이 들기도 하였다. 근래에 그렇게 긴 산행을 한 적이 없었기 때문에 왕년에 했다는 것만으로는 위안이 되지 않았다. 더구나 무박으로 간다는 것도 젊었을 때의 일이지, 지금으로서는 감당할 수 있을지도 자신이 없었다. 그래도 무사히 마쳤으니 몸은 피곤해도 마음은 가뿐하였다.

금요일 오후 9시에 집에서 나와 다음 날 집에 들어온 시간이 오후 11시, 장장 26시간의 길고도 힘든 여정이었다.

이기대(二妓臺) 길을 걸으며

1

해안도로를 따라 걷는다
멀리 내려와
문득 마주친 길
낯선 길 위에 서 있다
모든 길의 만남은
우연이라고 생각하지 않는다
내 삶의 한 모퉁이도
무언가에 이끌려 여기까지 왔으리라
바다의 부름이었을까
메말라가는 마음이었을까
해안가에 앉아
소주 한 잔으로 잠시 발길을 멈추고
불어오는 바람을 맞는다
무심한 듯
스쳐 지나가는 바람
그 바람 한 점의 고마움을 이제야
새삼스레 느낀다
이 길의 끝자락에 서면

저 바다를 넘어설 수 있을까
생의 여정에서 불현듯 만난
이 길 위에서
내가 나에게로 간다

2

꽃이 진 자리는 어디쯤일까
죽음마저도
아름답게 피어 있는 길
바람이 불 때마다 흔들리는 꽃들
그냥 지나칠 수 없어
자꾸 발길이 멈추어진다
당신의 모습은 이 길 위에서
피고 또 피어나겠지만
살아서 이 길을 걷는 사람들은
그대의 이름을
오래 기억하지 못할 것이다
다만 이 길을 걸으며
당신처럼

가볍게 떠나갈 수 있기를 바랄 뿐

삶은 늘 떠나는 것이며

언젠가는 떠나갈 것이기에

이젠 서두르지 않고

천천히 발걸음을 옮기려 한다

굽이굽이 구부러진 길도

아름다운 길이었기에

바다 가까이 낮게 내려앉은

이 길 위에서

내가 당신에게로 간다

* 이기대(二妓臺)

부산 남구 동생말~오륙도공원~신선대~평화공원에 이르는 10㎞ 거리의 해안 산책로
(이기대라는 명칭은 임진왜란 당시 두 기생이 왜장을 술에 취하게 한 뒤 껴안고 바다에 뛰어내렸기 때문에
지어진 이름이라고 한다)

칠갑산

비 내리는 칠갑산

아침에 일어나자마자 날씨부터 살폈다. 일기 예보에는 오늘 비가 오지 않는다고 하였지만, 때가 장마철인지라 그래도 안심이 되지 않았다. 다행히 비는 내리지 않고 있었다. 그런데 차를 타고 내려가다 보니 날씨가 점점 흐려지면서 빗방울이 떨어지기 시작한다. 처음에는 조금씩 내리는 정도여서 뭐 이 정도면 괜찮겠지 하고 있었는데, 목적지에 가까워지자 빗줄기가 점점 거세지더니 막상 칠갑산 주차장에 도착해서는 비가 세차게 퍼붓는 것이 이건 산행이 어렵겠구나 하는 생각이 들 정도였다. 그렇다고 오늘 산행을 그만둘 수는 없는 일이었다. 다행히 매점에서 1회용 우의를 팔고 있어서 모두 우의를 입은 채 산행에 나설 수 있었다.

이렇게 비가 쏟아지는데도 산에 오르는 건 처음이었다. 등산하다가 비를 맞은 적은 몇 번 있었지만 그건 산에 올라간 이후에 일어나는 일이었지 출발부터 이렇게 비가 오는 데에도 산에 오르는 건 쉽지 않은 일이었다. 하지만 오늘 산행은 친구의 100대 명산 산행을 축하하기 위한 동반 산행이었다. 100번째 마지막 산행을 하는 자리에 같이 동참하고자 하는 마음에 모두가 이 정도쯤의 비야 하는 생각으로 빗속을 뚫고 산에 오르기 시작하였다. 마치 산의 부름을 받은 전사들처럼 당당하게 앞을 향해 나아가는 모습이 참으로 늠름하였다.

비의 초대를 받았는가
산의 유혹에 빠졌는가
새 날을 맞으러 가는 사람들처럼
거부할 수 없는 몸짓으로
푸른 숲을 헤치고
열을 지어
어디론가 떠나는 사람들

오늘 산행은 등산이라기보다는 산보 수준의 트레킹 코스였다.
칠갑산 등산로가 몇 군데 있지만 오늘 코스는 길이 널찍하고 평탄
하게 이어져 있어서 산책로를 걷는 기분이었고, 거의 정상 부근에
와서야 약간의 가파른 계단이 있을 뿐이다. 하지만 그 계단을 오르
는 것도 시간이 많이 걸리는 건 아니었다. 길 양쪽으로는 커다란 벚
나무들이 죽 늘어서 있어서 벚꽃 피는 계절에 오면 멋진 경치를 바
라보면서 산행을 즐길 수 있는 아름다운 등산로였다.

우리가 살아가는 길도

이 길처럼

넓고 평탄했으면 좋겠다

녹음이 우거진 산길 걸으며

주고받는 이야기들

푸른 나뭇잎처럼 무성하고

모퉁이를 돌아서면

문득 새롭게 펼쳐지는 풍경들

우리 앞에 놓여진 길도

가슴 설레며

걸어가는 길이었으면 좋겠다

　산자락으로 들어서자 비가 조금 누그러지기 시작한다. 그냥 맞
고 가도 될 정도로 빗줄기가 약해지다가 얼마쯤 지나니 다시 비가
쏟아지고 조금 지나면 다시 약해지기를 반복한다. 이렇게 비가 올
때 등산을 하면 카타르시스를 느낀다는 친구도 있었다. 마음이 차

분해지고 정화되는 느낌이랄까, 그런 기분이 든다고 한다. 웬만큼 산을 좋아하는 사람이 아니면 일반 사람들은 대개 비가 오면 옷이 젖는 것부터 걱정할 텐데 얼마나 산행 경력이 쌓여야 저런 이야기를 할 수 있을까. 그런데 다시 생각해 보니 그럴 수도 있겠구나 하는 생각이 들었다. 비가 오면 운치도 있고 호젓하게 느끼는 게 사람들의 마음이니까. 옷이 좀 젖으면 어떤가. 마음만 조금 편하게 먹으면 되는 것이다. 우의를 입고 있으니까 옷이 그리 크게 젖지도 않을 터였다.

주변에서 일어나는 모든 일들은 내가 그것을 어떻게 받아들이느냐에 따라서 다르게 느낄 수가 있는 것이다. 산에 올라가서 비를 맞으면 비를 피하고 그치기만을 바라고 있는데, 그걸 즐기고 거기서 카타르시스를 느끼는 친구도 있었구나. 그걸 어떤 관점에서 바라보느냐에 따라서 달라질 수가 있는 기로구나. 세상을 살아가는 지혜는 멀리 있는 게 아니라 우리의 마음 속에 있는 것이었다.

그렇게 생각하니 오늘 비가 오는 것도 우리에게 큰 추억을 남기려고 하늘이 오히려 축복을 내려주는 것이 아닌가 하는 생각이 들었다. 그냥 평범한 날씨였다면 그저 그런 산행이었을 텐데, 조물주가 우리의 100대 명산 동반 산행을 기념하는 뜻에서 뭔가 오랫동안 추억에 남을 이벤트를 만들어주는 건 아닐까? 비를 맞으며 친구들과 함께 올라갔던 칠갑산은 우리에게 잊지 못할 추억으로 남을 것이다. 오래오래 마음 속에 간직될 오늘의 산행, 그런 생각을 하며 걷다 보니 어느덧 계단이 앞에 나타난다. 올려다보니 나무로 만든 긴 계단이 하늘로 이어지는 통로처럼 높이 뻗어 있다. 저 계단을 올라서면 정상일 것이다.

저 계단을 올라

정상에 서면

어떤 세상이 펼쳐질까

오르고 오르면

더 넓어지고 높아지는 산처럼

계단을 올라서면

우리들 마음도

더 넓어지고

높아지고 넉넉해질까

정상은 안개에 쌓여

　정상은 온통 안개에 쌓여 있었다. 칠갑산 정상이 해발 561m로 그리 높은 산은 아니지만, 날씨가 맑을 때에는 정상에서 내려다보는 능선들이 아득히 펼쳐져 있어 가슴이 탁 트이는 시원함이 있었는데, 오늘은 정상 부근에 표지석만 우뚝 서 있을 뿐 주위가 온통 안개뿐이다. 비가 와서 그런지 비교적 한산하다.

　주변의 풍경들은 모두 안개에 쌓인 채 표지석을 배경으로 단체 사진을 찍었다. 비가 내리는 데에도 아랑곳하지 않고 삼삼오오 모여 사진을 찍으면서 친구의 100대 명산 등반을 축하해주었다.

　불굴의 세월이었어라
　고난의 세월이었어라
　아름다운 도전의 나날이었어라
　눈을 감아도 선명히 떠오르는
　그날 그날의 기억들
　되돌아보니
　생생히 살아 있는 날들이었어라

100대 명산 산행, 결코 쉬운 일이 아니다. 멀고 가까운 곳을 가리지 않고 전국 방방곡곡 명산을 찾아 떠나는 산행은 자신과의 싸움이고 고난의 연속이었으리라. 그런 마음을 하늘도 알았는지 조물주도 오늘 특별한 이벤트를 준비한 것 같았다. 온통 세상을 안개로 덮어놓고 우리가 모여 있는 정상 부근에만 살짝 보이게 함으로써 좀 더 신비스러운 분위기를 연출하고자 한 것은 아닐까? 왜 사진 찍는 기술에도 있지 않던가. 초점 부분만 선명하게 하고 주변을 흐릿하게 처리하는, 사진 용어로 '아웃포커싱'이라고 하던가. 조물주가 아웃포커싱 기법으로 배경을 만들어 주고, 그 이벤트에 우리가 주인공이 되어 한 편의 대서사시를 써나가는 것— 천상의 세계에서 펼쳐지는 특별한 행사였다.

친구가 하나하나 발로써 쌓아 올린 산행 기록은 우리 모두에게 불굴의 의지를 심어준 역사였고, 포기하지 않으면 마침내 뜻을 이룰 수 있다는 교훈을 심어준 자랑스러운 일이었다. 이제 어느 길인들 가지 못할 길이 있으랴. 산에 오르는 길이 인생을 걸어가는 길과 다르지 않으니, 험한 길 마다하지 않고 헤쳐 왔듯이 앞으로 펼쳐질 우리 인생에서도 그렇게 거침없이 나아가기를 기대해 본다.

추억의 회갑(回甲) 여행

그 날, 우리는 모두 한자리에 모였다. 40여 년의 세월을 훌쩍 뛰어 넘어 다시 떠나는 수학여행, 우리는 옛 추억을 고이 가슴에 안은 채 타임머신을 타고 과거로의 여행을 떠났다. 학창 시절에 갔던 수학여행 코스를 이제 회갑의 나이가 되어 다시 떠나기로 한 것이다. 전국 각지에 흩어져 있던 친구들이 일손을 멈추고 오늘은 한마음이 되어 한자리에 모였다.

월정사의 기억

월정사 앞마당에 햇살이 환하다. 초여름 한낮의 뜨거운 날씨, 온 산이 짙푸른 초록으로 덮여 있는 가운데 고즈넉하게 자리 잡은, 이름도 아름다운 월정사(月精寺), 대웅전 앞에 높이 솟은 8각9층탑이 햇빛을 받아 눈부시게 빛나고 있다. 예전에 이 탑을 보고 그 아름다움에 한참을 바라보던 기억이 난다. 국사책에서 사진으로만 보던 물건을 실물로 보고 난 뒤의 감동이랄까, 그런 충만한 감동이 당시에 들었던 것도 같다. 늘씬하게 뻗어올라간 탑의 몸채, 부드러우면서도 포동포동하게 살이 오른 옥개석에 주렁주렁 매달린 풍경들, 화려하게 치장한 몸에 머리에는 화관을 쓴 아름다운 여인의 자태를 보는 듯, 자꾸 보아도 눈이 즐거워진다. 실제로 와서 보면 흰색의 화강암 돌덩어리인데, 월정사 탑을 생각하면 왜 자꾸 분홍빛 이미지가 떠오르는 것일까?

  절의 이름이 그래서 그런가, 이곳에 오면 환한 대낮인데도 은은한 달의 정기가 배어 있는 것 같다. 달의 기운이 절의 주변을 감싸고 있는 듯, 그래서 언제 와서 보아도 아늑하고 그윽한 분위기가 느껴진다. 이름에 걸맞게 달빛 은은한 밤에 와서 보아야 절의 분위기를 제대로 느낄 수 있을 것 같은데, 일부러 달밤에 찾아오는 것도 쉽지 않을 거 같고…

  절의 입구에는 해학적인 동물들의 석상이 여러 개 세워져 있었다. 전에는 보지 못했던 석물들이다. 민화(民話)에 나오는 동물들을 형상화한 듯, 절을 찾아오는 사람들에게 친근감을 주기 위한 배려인 듯도 하다. 앞마당에는 하얀 연등이 넓은 마당을 가득 채우고 있는데, 붉은 연등에 익숙해진 눈으로 하얀 연등은 웬지 생소한 느낌이다. 이승과 저승을 연결하는 긴 등불들의 행렬인가. 월인천강(月印千江), 강물에 비친 천 개의 달처럼 천 개의 하얀 연등이, 어쩌면 소복 입은 낮달 같기도 한 처연한 모습으로 허공에 매달려 점점이 그림자를 드리우고 있는 그늘 아래에 서 있자니 여기가 이승 같기도 하고 저승 같기도 하고…

달처럼 살자

월정사 앞마당에 떠 있는 달처럼

은은한 마음으로 살자

너무 드러내지는 말고

조금씩 감추어가면서

허물도 조금씩 덮어가면서

마음 속의 노여움도

이제는 안으로 삭여가면서

우리 마음에 둥근 달 하나 띄워 놓고

달빛처럼

은은한 마음으로 살자

월정사 전나무 숲길도 잊을 수 없는 길이다. 하늘에 닿을 듯이 쭉쭉 뻗은 나무들, 수령이 몇 백년은 되었음직한 우람한 나무들이 길가에 늘어선 채, 나무들의 사열을 받으며 걷는 길은 또 다른 감동이었다. 40여 년이 지난 지금, 나무들은 더욱 정정하고 울창하게 푸르러가고 있었다.

아, 몇 백년 전에도 사람들은 나무를 심었구나. 힘들고 고단한 삶을 살았을 당시에도 이 길을 걸어갈 후손들을 위하여 우리 선조들은 고단함을 무릅쓰고 이렇게 푸르고 아름다운 길을 만들어 놓았구나. 나무를 심으며 먼 후일, 이렇게 멋진 숲길이 만들어질 것을 그들은 상상이나 했을까. 자연을 바라보고 있으면 우리가 어떤 마음으로 살아가야 할지, 앞으로 후손들에게 무엇을 물려줘야 할지를 생각하게 된다.

낙산사 가는 길

낙산사 가는 길은 천천히 걷고 싶은 길이다. 야트막한 언덕으로 굽이굽이 숲길을 돌아나오면 넓고 평평한 흙길이 정겨운 시골길처럼 뻗어 있고, 낮게 지붕을 한 담장 안에는 소나무, 대나무를 비롯하여 무성하게 자란 나무들이 울창하게 숲을 이루고 있어 흡사 옛 종갓집 정원의 담장을 돌아 걸어가는 느낌을 준다. 그 담장을 따라 걷다 보면 널찍한 마당에 절로 들어가는 입구가 나타나는데, 무지개처럼 생긴 문 그 안쪽으로도 흙길은 계속 이어져 법당 건물에까지 이른다. 아지랑이 아른거리는 화창한 봄날이나 단풍 곱게 물들어가는 가을에 연인의 손을 잡고 천천히 아껴 가며 걸어가고 싶은 길, 이런 길을 걷고 있으면 마음이 푸근해진다.

\# 낙산사 가는 길

　　경내를 대강 둘러보고 산자락 길게 이어진 길을 내려와 의상대로
향한다. 가파른 절벽, 내려다보면 아찔한 정도의 높은 벼랑 언덕에
터를 잡고 망망대해 먼 바다를 바라보며 우뚝 서 있는 정자, 산자락
은 길게 이어지다가 여기에 와서 툭 끊어지고 그 아래로는 천인단
애(千仞斷崖)의 절벽이다. 조물주가 여기에 정자를 지을 터전을 마
련하려고 일부러 만들어 놓은 자리가 분명하니, 참으로 관동팔경의
으뜸이 아닐 수 없다. 경치가 좋은 곳에 세워진 정자들이 많이 있지
만 의상대만큼 멋진 풍광을 지닌 정자가 또 있을까? 노송 두어 그
루가 비스듬히 서서 늙은 호위병처럼 정자를 지키고 있어 운치를
더해 준다.

　예로부터 얼마나 많은 시인 묵객들이 이곳 정자에 올라 주변의 아름다운 경치를 바라보며 시로 읊고 화폭에 담았을 것인가. 잠시 그들의 행적을 더듬어 나도 먼 발치에서나마 흉내라도 내 보고 싶었으나 턱없이 빈약한 나의 제주로는 한 줄 글귀도 떠올릴 수 없으니, 다만 난간에 기대어 서서 선현들의 발자취를 더듬어 볼 뿐이다. 멀리 바라보니 바닷가 바위 절벽에 암자 하나가 그림같이 앉아 있다. 세속의 번뇌를 파도에 씻어내려는 걸까. 속세의 길 돌고 돌아 홀로 절벽 위에 피어 있는 한 송이 꽃, 홍련암(紅蓮庵)이다.

절벽 위에도 꽃이 핀다

해안가

바위 절벽 위에

붉게 피어난 연꽃 한 송이

오랜 세월이 지나도

늘 그대로의 자태로 피어 있는

꽃

설악산으로

다음 날, 아침을 먹고 설악산으로 이동했다. 휴일이라 들어가는 길이 많이 막힐 줄 알았는데 아침 일찍 서두른 탓인지 그리 막히지는 않았다. 설악산 입구에서 준비해 온 플래카드를 펼쳐놓고 단체 사진을 찍는데 주변에 있던 사람들이 다들 웃으면서 박수를 쳐준다. 플래카드에 적혀 있는 '회갑기념 추억여행'이란 문구가 재미있었던 모양이다. 나이가 좀 지긋하신 어느 어르신이 우리가 사진 찍는 모습을 보더니 한마디 하고 지나간다.

"그때가 좋을 때여~~"

　당시에는 비선대에도 올라가고 울산바위에도 올라갔었는데, 오
늘은 시간이 넉넉지 않아 비룡폭포 쪽으로 향했다. 설악산 입구에
서 비룡폭포까지는 2.5㎞로 걸어서 대략 1시간 정도의 거리였다. 어
려운 코스가 아니니 천천히 걸어갔다 와도 왕복 3시간이면 충분한
거리이다. 처음에는 넓고 평탄한 길이 이어지다가 그 뒤로는 계곡
을 따라 올라가면서 좁은 계곡 사이로 계단과 출렁다리, 산비탈이
번갈아 이어진다. 잠깐 들어왔는데도 계곡을 따라 오르다 보니 역
시 설악산이었다. 높이가 점점 높아지면서 어느 순간 첩첩산중에
들어온 듯, 온통 바위로 된 높은 산봉우리가 우뚝우뚝 하늘에 솟아
있다.

녹수천년대(綠水千年帶) 청산만년병(靑山萬年屛), 녹수는 천년을 이어지는 띠요, 청산은 만년을 두른 병풍이라. 옛 시인이 읊은 노래가 여기를 두고 한 말이 분명할지니, 금강산 상팔담 계곡의 한 줄기를 끊어다가 여기에다 걸어놓은 듯, 깊은 골짜기로는 맑은 물이 휘돌아 흐르다가 폭포처럼 떨어져 내리고, 떨어진 자리에 웅덩이가 깊게 패여 웅덩이에서 잠시 소용돌이치던 물은 또다시 아래로 굽이굽이 이어져 쉬지 않고 흘러가니 이야말로 산자락을 빙 두른 띠가 분명하다. 산은 사방으로 병풍을 둘러놓은 듯 웅장하고도 장엄하니 설악산은 이런 비경들을 골짜기마다 얼마나 많이 숨겨두고 있는 것인가. 비룡폭포에 이르러 잠깐 휴식을 취하다 보니 토왕성폭포로 이어지는 길이 보인다. 얼마 전에 개방을 하여 길이 열린 곳인데, 오늘 여기까지 왔으니 안 가볼 수가 없다. 더구나 거리도 멀지 않아 여기에서 400m라고 하니 금방 갔다 올 수 있는 거리가 아닌가.

토왕성폭포로 올라가는 길은 거의 계단으로 이어져 있었다. 처음에는 가볍게 생각하고 오르기 시작했는데, 올라가다 보니 이게 만만한 길이 아니었다. 경사가 가파른 데다가 무더운 여름 날씨에 땀이 많이 나서 몇 번을 쉬어 올라가야 했다. 하지만 힘들게 계단을 밟으며 폭포 전망대에 오르니 아! 하는 감탄사가 절로 나왔다. 산 깊숙이 숨겨 놓은 비경이 그대로 눈앞에 펼쳐진다. 사방으로 둘러친 병풍을 뚫고 또 다른 세상으로 들어간 듯한 착시 현상, 여기가 바로 세상의 끝이었다.

폭포는 그대로 하늘에 걸려 있다. 하늘과 맞닿은 아득한 높이에서 수직으로 떨어져 내리는 물줄기, 도대체 저 폭포에서 흐르는 물은 어디에서 오는 걸까? 하늘의 은하수가 쏟아져 내리기라도 하는 걸까. 선녀가 흰 치맛자락을 날리며 내려오는 것인가. 아니면 저 너머 또 다른 세상이라도 있단 말인가. 날이 가물어서 비록 물줄기는 보이지 않았지만, 물이 흐르던 흔적은 멀리서도 완연하다.

토왕성폭포(가운데 움푹 들어간 부분)

돌아오는 길

오랜만에 다시 찾아 떠난 여행길, 학창 시절에 떠났던 여행을 이제 희끗희끗한 반백의 머리가 되어 다시 다녀오게 되었으니 감회가 새롭지 않을 수 없다. 1박 2일 동안 모두 한마음이었다. 건강이 좋지 않아서 참석하지 못한 친구들, 생업을 제쳐놓을 수 없어 오지 못한 친구들, 다른 일정으로 인해 부득이 참석하지 못한 친구들도 모두 마음만은 함께했으리라.

아름다운 동행이었노라고, 또 하나의 잊지 못할 추억을 간직할
수 있는 소중한 시간이었다고 다시 한 번 되돌아 본다.

40년의 세월이 흘러갔네
그동안 잘 지냈는가
어디서 어떻게 지내왔는가
보고 싶지는 않았는가
흘러온 세월에
머리는 반백이 되고
주름진 얼굴들
기억이 가물거려도
반가움에 손이 먼저 나가는 친구들이여!
마음은 아직도 청춘인데
회갑이라네
서로 헤어져 지내는 동안에
강산이 변하고
세월은 굽이굽이
몇 굽이를 돌고 돌았던가
이제 우리
가끔씩이라도 서로 만나
지나온 이야기들
앞으로 살아갈 이야기들
마음을 열고 나누어보세

친구들과 함께 나누는 이야기가
세상에서
가장 아름다운 이야기인 것을
친구들과 함께 걸어가는 이 길이
지상에서
가장 아름다운 길인 것을

가을

타오르고 싶어

설레는 마음

꾹꾹 눌러 참아보려 해도

자꾸만 튀어나오는

이 불같은 그리움

청학동(靑鶴洞) 가는 길

　먼 길을 가고 있다. 산자락을 돌고 돌아 긴 물줄기처럼 구불구불 이어진 길, 한 모퉁이 돌아서면 다시 나타나고 또 한 모퉁이 돌아나오면 다시 나타났다 사라지고… 숨바꼭질하듯 구절양장 인간의 생애와도 같은 길을 따라가고 있다.

　이 길의 끝에는 어떤 세상이 펼쳐질까. 청학이 노니는 세상 만날 수 있을까. 몽유도원(夢遊桃源), 꿈속을 헤매이듯 실체도 없이 떠도는 소문을 찾아 어쩌면 이 지상에도 없는 길을 찾아나서는 건 아닐까. 물이 흐르듯 그렇게 흘러가다 길이 다하는 곳에서 그대로 스며들면 그만인 것을, 나는 또 부질없이 무엇을 찾아 이 먼 길을 가고 있는 걸까. 얼마를 더 걸어야 길은 자신의 모습을 드러내는 걸까.

　청학동 가는 길, 푸른 산이 날개를 펴고 앉아 가을 햇살에 반짝이고 있다. 잠시 멈추어 서서 멀리 산자락을 바라본다. 청학동 가는 길은 어디에도 없고 어디에도 있었다.

북한산 ②
— 비봉 능선

\# 족두리봉

첫눈에 마음을 빼앗긴 여인이 있다

족두리를 쓴

맵시 있는 기품을 지닌 여인

날렵한 자태로 솟아오른 여인

바위처럼

마음이 단단한 여인

돌아서서 마냥 바라보고 싶은

넉넉한 품으로

지친 사람들을 쉬어가게 하는

여인이 있다

\# 비봉(碑峰)

한강 물줄기가 내려다보이는

북한산 산자락

층층이 높은 바위 위에

천 년 세월에도 흔들리지 않을

비를 세우나니

이곳을 지나가는 이여!

잠시 여기

이 비를 세운 뜻을 기리어

호연지기의 기상으로

세상을 한 번 굽어보시라

사모바위

사방으로 네모가 져서

사모바위인가

애타는 마음으로

누군가를 기다리는 이 있어

사모(思慕)바위인가

아니면

머리에 두건을 쓴 선비의 모습이라

사모(紗帽)바위인가

미끄러질 듯

금방이라도 내려와

어디론가 떠나버릴 것만 같은

그러면서도 오랜 세월

한 자리에 묵묵히 눌러앉아

지나가는 사람들

그늘이 되고

쉼터가 되어 주고

전망대가 되어 주는

오랜 친구 같은 바위여!

묵묵히 바라보면 되리

때로는 앉아서

때로는 서서

등에 젖은 땀 바람에 식혀 가며

굽이굽이 능선들 바라보고 있노라면

저것이 내 마음인 것을

하늘로 치솟은 준봉들 가슴에 담아

거기에 내 마음의 터를 잡고

비바람 몰아치는 이 풍진 세상에도

저 봉우리처럼 의연하게

살아가면 되리

힘들게 걸어온 세월

한발 한발 내딛다 보면

문득 펼쳐지는 장엄한 풍경처럼

세상 또한 그렇게 열릴 것이니

어느 여인의 치맛자락이

저렇게 아름다울 수 있으랴

어느 여인의 맵시가

이보다 늘씬할 수 있으랴

바위의 하얀 살결

손으로 가만가만 더듬어가며

한 발 한 발 오르다 보면

깎아지른 절벽

저 아래로

보일 듯 말 듯

세상은 아득히 멀어 보이고...

북한산 ③
— 숨은벽 능선

길은 보이지 않는데
사람들은 바위를 오른다
길이 없어도
길을 만들어가는 사람들
길은 어디에도 없고
어디에도 있다
우리가 걸어가는 발길이
곧 길이 된다

가을이 가기 전

철새들처럼

산은

서둘러 떠날 채비를 한다

단풍을 온몸에 비단처럼 두르고

일렬로 서서

나란히 어디론가 가고 있다

머리를 높이 쳐들고

등성이를 넘어가는 바위들의 행렬

더 높이 높이

하늘을 향해 올라가는 산봉우리들

백운대

높은 봉우리에서 내려다보아도

보이지 않는 곳

그리하여 숨은벽능선

지금 호랑이 등에 올라탄 기분으로

능선의 등허리를 밟고 오른다

인수봉 능선과

백운대 높은 절벽을 좌우에 거느리고

숨은벽 능선에 두 발로 서서

호기롭게 외쳐본다

북한산의 참모습을 이제야 보았노라고

그냥 바라보시라

북한산

산자락 깊은 곳에 올랐거든

인수봉 긴 등줄기

가을 햇살에 반짝이고 있거든

백운대 높은 절벽

병풍처럼 장엄하게 펼쳐져 있거든

그 사이로 미끈하게 솟아오른

숨은벽능선

곱게 퍼져가는 단풍에 아랫도리만 가린 채

맨살 훤히 드러내고 있거든

그 등허리에 발을 디디고 서서

사방을 한 번 둘러보시라

여기가 어디인가

신선들이 노니는 곳이 여기인가

굳이 알려고 하지 마시고

눈에 보이는 대로

그냥 바라보고만 계시라

단풍이 문득

우리 곁으로 다가와

수줍게 얼굴 붉히고 있으면

우리, 사랑을 하자

단풍처럼

성숙한 여인이 내미는 손길

물리치지 말고

그 유혹에 몸을 맡기어 보자

올 가을엔

단풍보다도 더 아름다운

깊고 은밀한 사랑을 나누어 보자

숨은벽능선(가운데)

도명산(道明山)

산도 때로는 그리움에 젖는다
가을이 깊어가는
저 도명산을 보아라
안개에 쌓여
낮게 낮게 몸을 낮추고
수줍은 듯
다소곳이 누워 있는 능선들을 보아라

반가운 임이라도 오시려는가
고운 옷으로 갈아입고
나란히 앉아 있는 산자락들
간절하게 기도하는 자세로
우뚝 솟은 바위들

임이 오시는 길
머나먼 길
청학을 타고 오시라
황룡을 타고 바람처럼 달려오시라
학소대, 와룡암
가까운 발치에 놓아두고
머리 들어 먼 곳을 바라보고 있는
저 산봉우리들을 보아라

산으로 가는 길

도명산 가는 길이 온통 가을로 뒤덮여 있었다. 주차장에서 화양
계곡으로 들어가는 초입부터 아름드리 나무들이 줄지어 서 있는데
노랗게 물들어가는 나무들 사이로 여기저기 단풍나무들이 타오르
는 듯 선홍빛으로 붉게 물들어 지나가는 행인들의 발길을 자꾸 멈
추게 한다. 절정을 향해 타오르다가 이제는 기력이 다한 듯 많은 잎
들이 길바닥으로 떨어져 뒹굴고, 아직 나뭇가지에 붙어 있는 나뭇
잎들도 쏟아져 내려앉을 자세로 가지에 매달려 아침 햇살에 반짝이
고 있다.

소신공양이라도 하려는 걸까

제 몸을 불살라

핏빛으로 타오르는 저 장엄함

사각사각 낙엽 밟는 소리 또한 가을의 정취를 한껏 돋우고 있다. 귀와 눈을 크게 열어놓고 둘러보지 않으면 손해라도 볼 것 같은, 가을 정취가 물씬 느껴지는 분위기이다. 이효석의 <낙엽을 태우면서>라는 수필이 절로 생각나게 하는 늦가을의 풍경이다.

냇가를 따라 걸어 올라가다 보면 얼마 지나지 않아 다리가 나타나는데 사람들은 대개 이 다리 위에서 발길을 멈춘다. 아, 이 풍경이 바로 화양계곡의 모습이구나. 아름답다는 말이 절로 나온다. 호수처럼 잔잔하고 넓게 퍼져 있는 맑은 물을 한동안 바라보다가 왼쪽 산자락에 절벽처럼 솟아 있는 운영담(雲影潭)을 바라보고, 이어서 눈을 들어 저 멀리에 우뚝 솟아 있는 도명산을 바라본다. 금사담(金砂潭), 암서재(巖棲齋)를 지나며 냇가의 아름다운 풍경에 가다 서다를 반복하며 오르다 보면 또 하나의 다리가 보이는데, 거기서부터 오른쪽으로 등산로가 시작되는 지점이다.

운영담(雲影潭)

쏟아질 듯
쏟아져 내릴 듯
단풍이여!
여린 잎으로 피어나
신록의 5월
아름다운 한 시절을 이루었고
무더운 여름
시원한 그늘 만들어
땀에 젖은 길손들 쉬어가게 하였으니
이제는 떠나가도 좋아라
생의 한 굴레를 벗어나
다시 자연으로 돌아가는
아름다운 잎들이여!

산을 오르며

도명산은 높이가 643m로 그리 높은 산은 아니다. 화양계곡이 너무 유명하다 보니 산보다는 계곡으로 더 많이 알려진 곳, 그래서 산은 계곡의 아름다움에 그 명성을 넘겨준 채 그저 궁벽한 시골의 이름 없는 산처럼 수수한 모습으로 묵묵히 그 자리를 지키고 있다. 높이를 자랑하지 않고 자태를 뽐내지 않는 산, 그래서 도명산은 겸손하다.

정상까지는 3.2㎞로 천천히 올라가도 2시간 정도면 올라갈 수 있는 산이다. 오늘은 날씨가 많이 추워진다는 기상 예보와는 달리 덥지도 않고 춥지도 않은 것이 등산하기에는 더없이 좋은 날씨다. 그래도 올라가는 길은 경사가 만만치 않아 오르기 시작한 지 얼마 안된 초입부터 가파른 철제 계단이 놓여 있다. 하지만 중간중간 쉬어가면서 천천히 오르다 보니 올라가는데 그리 힘들게 느껴지지 않는다.

능선에 올라와 올라온 길을 되돌아보니 사방의 경치가 한눈에 들어온다. 높은 산이 아닌데도 산의 능선들이 끝없이 이어지고 겹겹이 쌓여 있는 것이 온 천지가 산으로 둘러싸여 있는 모습이다. 여기가 이렇게 깊은 산중이었던가. 그야말로 첩첩산중이다. 예전에 왔을 때에는 산이 온통 안개에 쌓여 있어 제대로 조망할 수가 없었는데, 오늘은 날씨가 맑으니 시야가 일망무제(一望無際), 소나무의 푸른색과 노랗게 물든 나뭇잎, 붉게 타오르는 단풍이 어우러져 산 전체가 하나의 꽃밭이요, 산봉우리 하나하나가 꽃봉우리인 양 울긋불긋 물들은 산의 모습이 참으로 장관이다. 지나치게 화려하지 않으면서도 수수한 아름다움이 느껴진다고 할까. 연분홍 치마를 곱게

차려입은 아름다운 여인의 자태를 보는 듯, 여항(閭巷)의 깊은 산골
짜기에서 뜻하지 않은 미인을 만난 듯, 마음이 설레이고 충만해
진다.

선비들 글 읽는 소리에

도가 밝아졌는가

도명산(道明山)이여!

계곡의 명성에 그 이름 가리어진 채

스스로 낮추고 낮추어

겸손해진 산이여

여기에 와서

너를 닮은 마음 하나 가슴에 담고

다시 산 아래로 발길을 돌린다

수북이 쌓인 낙엽을 밟으며 여기저기 마지막 남은 단풍들을 감상하면서 내려오다 보니 어느새 산길은 시냇가로 이어진다. 다리를 건너니 맞은 편 산자락에 우뚝 솟은 바위 절벽이 학소대(鶴巢臺), 학이 날아와 둥지를 틀었다 하여 붙여진 이름일 것이니, 분명 신선이 타고 다닌다는 선학(仙鶴)이었으리라. 조금 아래쪽에는 와룡암(臥龍巖)이라는 길게 뻗은 바위가 한가하게 냇가에 누워 있다. 용이 내려와 낮잠을 즐기고 신선들이 노닐 만하기에 손색이 없는 아름다운 풍경이었다.

학소대

청학이 날아와 노니는 세상

열리기를

그 아름다운 세상에서

임과 해후하기를

산은 오늘도 그리움에 젖어 있다

와룡암

누워 있는 용은 언제 승천하려는가
가뭄에 애태우는 백성들의 마음
아는지 모르는지
오랜 세월
용은 잠에서 깨어날 줄을 모르고

내려오는 길

계곡을 따라 내려오다 보니 능운대와 첨성대가 보이고 다시 다
리가 나타난다. 다리 위에 서서 방금 내려온 산을 둘러보았다. 점점
이 붉게 타오르는 산자락, 수백 수천 년을 물살에 씻겨 미끈하게 다
듬어진 바위들이 납작하게 누워 있는 계곡, 하얗게 몸을 뒤집으며
흘러가는 시냇물, 시간도 멈추어버린 듯한 한적한 분위기, 바라보
고 있으려니 마음이 평온해진다. 자연의 아름다운 정기가 그대로
몸에 배어 들어오는 느낌이다.

화양 계곡의 풍경

　몸을 돌려 아래쪽을 바라보니 울긋불긋 물들어가는 나무들 사이로 산자락 야트막한 언덕에 자리하고 있는 암서재(巖棲齋)가 눈에 들어온다. 조선 후기의 학자인 우암 송시열이 정계에서 은퇴한 후에 학문을 닦고 제자들을 가르치던 서실이다.

　한 때는 학문하는 선비들의 글 읽는 소리로 낭랑했을 이 서실에 이제는 글 읽는 소리도 끊어진 지 오래, 유림(儒林)들의 발걸음으로 분주했을 조그마한 앞마당에는 이제 우람하게 자란 나무들만이 옆에 서서 자리를 지키고 있을 뿐, 빛바랜 기둥과 지붕은 화려한 단풍에 대비되어 더욱 쓸쓸하게 보인다. 그 많던 유림들은 어디로 갔는가. 오랫동안 돌아오지 않는 주인을 기다리다 지친 듯, 개울가 건너편 한쪽 구석에 조용히 앉아 지나온 세월의 영욕을 고스란히 간직한 채 무심히 흘러가는 물만 내려다보고 있다.

\# 암서재

산자락 흐르는 물은 변함없는데

암서재 글 읽는 소리 오래 전에 끊어졌네

흐르는 물 굽어보고 문득 깨달았다오

인생도 저리 흘러가 돌아오지 않는 것을

무심하여라, 세월이여!

이름 높은 선비들은 어디로 갔는가

헛된 이름만 세인들 입에 오르내리네

　벼슬에서 물러난 송시열은 이곳 화양동에 터전을 잡고 골짜기에 들어앉아 글을 읽으며 제자들을 가르쳤다고 한다. 주자학의 신봉자였던 우암, 중국 주자의 무이구곡(武夷九曲)을 본떠서 이 화양동 계곡에 아름다운 경치 아홉 군데를 정하여 이름을 붙이고 화양구곡(華陽九曲)이라 하였으니, 이곳은 그와 인연이 깊은 곳이다. 그러니 여기에 온 기념으로 우암이 지은 시라도 한 수 감상해 보자. 그가 벼슬을 받아 한양으로 올라가면서 지었다는 <부경(赴京)>이란 제목의 시다.

錄水喧如努 (녹수훤여노)

靑山默似嚬 (청산묵사빈)

靜觀山水意 (정관산수의)

嫌我向風塵 (혐아향풍진)

녹수는 고함치듯 시끄럽게 흘러가고

청산은 말없이 얼굴만 찡그리네

청산과 녹수의 마음 가만히 앉아 바라보니

풍진으로 향하던 내 마음이 참으로 미워지는구나

- 송시열「부경(赴京)」

풍진으로 향하는 자신의 마음을 스스로 미워하면서도 발길을 돌리지 못하고 벼슬살이로 조선 후기의 정치를 요동시켰던 인물, 당쟁의 소용돌이 속에서 끝내는 사약을 받고 생을 마감해야 했던 비운의 정치인, 여기에 앉아 자연이나 벗삼으며 지내면 될 것을, 저 아름다운 풍광이나 바라보면서 신선의 경지에서 노닐고자 했으면 족할 것을, 무엇하려고 한양에는 올라갔는가. 그렇게 글을 읽고도 내려놓지 못하는 것이 인간의 욕망인가. 아니면 명예욕인가. 유방백세(流芳百世)라 하니, 아름다운 이름을 후세에 남기고자 하였음인가. 그대가 남긴 이름은 진정 아름다운 이름인가.

저 흘러가는 물처럼 한 번 가면 돌아오지 못하는 것이 우리네 인생인데, 백 년도 못 사는 유한한 삶에 쓸데없는 욕심을 내려놓지도 못하고 우리 모두 근심 걱정만 가득 안은 채 살아가고 있는 것은 아닌지.

道明行路遠而玄 (도명행로원이현)

九曲風光可有仙 (구곡풍광가유선)

紅葉飄飄翩逕上 (홍엽표표편경상)

碧溪靜靜泛山顚 (벽계정정범산전)

見流澗水幽然悟 (견유간수유연오)

一去人生復不還 (일거인생부불환)

齋內諸儒何處在 (재내제유하처재)

虛名削耗墓碑鐫 (허명삭모묘비전)

도명산 가는 길 멀고도 깊어라

구곡의 아름다운 경치 신선이 머물만 하네

붉은 단풍은 흩날리어 길 위에 나부끼고

푸른 시내는 고요하여 산마루가 잠겨 있네

흐르는 물 바라보며 유연히 깨달았다오

인생도 저리 흘러가 돌아오지 않는 것을

암서재 여러 선비들은 어디로 갔는가

헛된 이름만 묘비에 남아 지워져가네

낙엽이 지고 나뭇잎 모두 떨어져 내리면 이 자리에 다시 겨울이 오고 눈이 내리듯, 자연을 닮아 순리를 따르는 삶, 현실에 너무 연연해하지 말고 물처럼 유유히 흘러가자고, 저 도명산처럼 겸손한 마음으로 살아가자고 한 해를 마무리하는 길목에서 다시 한 번 되뇌어 본다.

화양서원

설악산 ②
— 흘림골에서 주전골로

한계령으로

아침 6:30분경, 신사역은 시장터를 옮겨다 놓은 듯 사람들로 북적거렸다. 등산객들을 전국 각지로 실어나르기 위해 끝이 보이지 않을 정도로 줄지어 서 있는 버스들, 그 옆으로 자기가 타고 갈 버스를 찾아다니느라 이리저리 분주히 오가는 등산객들로 발길이 넘쳐났다. 이리저리 오가면서 우리가 타고 갈 차를 겨우 찾아 올라가니 자리도 거의 차 있었다. 새벽부터 부지런히 서두른다고 했는데도 사람들은 더 부지런히 움직이고 있었다.

이번 주가 설악산 단풍의 절정이라고 한다. 그래서 차들이 많이 막힐 것으로 생각했는데, 서울 근교를 빠져나올 때를 제외하고는 그리 막히는 편은 아니었다. 하지만 한계령에 거의 도착하여서는 등산로 입구까지 차가 꽉 막혀서 도로가 주차장으로 변해 있었다. 단풍철이라 차들이 많이 막힐 줄을 알면서도 여행길에 나서는 사람들을 보면 참 대단하다는 생각이 든다. 몇 시간씩 차에 갇혀 있을 것을 생각하면 나로서는 엄두가 나지 않는 일인데, 사람들은 별로 개의치 않는 모양이다. 참으로 부지런하고 열정적으로 살아가는 사람들이다.

한계령에서 흘림골로

흘림골 계곡 초입의 등산로 입구에서 이 산자락 정상에 해당하는 등선대까지는 그리 먼 거리가 아니었다. 오르는 길도 거의 계단으로 되어 있어서 가파르지도 않았다. 하지만 인파에 밀려 가다 서다를 반복하며 천천히 올라가야 했다. 등선대 오르는 길에 조금 오르다 보면 오른편에 '여심폭포'가 있는데, 좀 기이하게 생긴 바위이다. 이 폭포에서 떨어지는 물을 마시면 아들을 낳는다는 속설이 있어 옛날에는 신혼부부들의 필수 코스였다고 한다. 아무튼 이 폭포로 인해서 사람들이 많이 찾아오는 명소가 되었으니 이 산의 보배가 아닐 수 없다. 그래서 그런지 이 폭포를 호위하기라도 하듯 산자락을 따라 준수한 바위 봉우리들이 우뚝우뚝 솟아 있고, 앞쪽으로도 높은 산자락이 병풍처럼 두르고 있으니 음양의 조화가 잘 어우러진 산세이다.

여심폭포를 뒤로 하고 조금 더 오르니 하늘 높이 우뚝 솟은 바위가 나타난다. 등선대(登仙臺)였다. 신선이 되어 하늘로 오른다는 바위, 모두들 그 바위 꼭대기에 올라가서 두 팔을 높이 쳐들고 사진을 찍느라고 정신이 없다. 마치 신선이 되어 하늘로 올라갈 듯한 자세다. 사람들이 많다 보니 거기에 올라갈 엄두가 나지 않는데, 다들 신선이라도 되고 싶은 것일까. 사람들은 한사코 올라가기를 마다하지 않는다.

\# 등선대

　　등선대에 올라 사방을 둘러보니 주변의 산세가 한눈에 들어온다.
멀리 한계령 휴게소가 산자락에 둘러싸여 아늑하게 앉아 있고, 그
너머로 이름도 많이 들어본 귀때기청봉과 서북능선이 대청봉까지
길게 이어져 있다. 한계령 휴게소를 내려다보고 있으려니 불현듯
양귀자의 '한계령'이란 소설이 생각난다. '한계령'이란 노래를 듣고
지었다는 짤막한 글인데, 줄거리는 대략 다음과 같다.

　　어릴 적부터 같은 마을에 살며 친하게 지내던 친구가 고향을 떠
나게 되면서 서로 소식이 끊어진다. 그런 상태로 연락 없이 지내다
가 어느덧 중년의 나이, 화자인 '나'는 소설가가 되어 글을 쓰는데
내가 쓴 소설을 읽고 전화번호를 수소문해서 어릴 적 고향 친구가
나에게 연락을 한다. 친구는 어렸을 때부터 노래를 잘 불렀는데, 가
수가 되어 밤업소에 나가면서 산전수전 다 겪어가며 이제는 어느
정도 기반을 잡았다고 한다. 우리 집은 아버지가 일찍 돌아가시고
장남인 큰오빠가 가장이 되어 동생들을 뒷바라지하면서 공부를 시
키는데... 큰오빠의 헌신적인 노력과 희생으로 형제들은 다들 어엿

한 사회인으로 성장하지만, 동생들을 뒷바라지하느라고 젊음을 다 바친 큰오빠는 이제는 기력이 다하여 허전한 마음을 술로 달래며 살아간다. 그런 모습을 바라보는 나는 큰오빠를 생각할 때마다 안타까운 마음에 가슴이 미어지고… 꼭 한 번 찾아오라는 친구의 거듭된 당부에 어렵게 시간을 내어 친구가 출연하는 밤업소에 들른 나는 거기서 그의 노래를 듣는다. 그 친구가 부르는 노래가 바로 '한계령'이란 노래였다.

> ♬ 저 산은 내게 우지 마라 우지 마라 하고 발아래 젖은
> 계곡 첩첩 산중 / 저 산은 내게 잊으라 잊어버리라 하고
> 내 가슴을 쓸어내리네 / 아, 그러나 한줄기 바람처럼 살다가고파 /
> 이 산 저 산 눈물 구름 몰고 다니는 떠도는 바람처럼 /
> 저 산은 내게 내려가라 내려가라 하네 /
> 지친 내 어깨를 떠미네 ♪♬

그 노래를 들으며 나는 큰오빠 생각에 눈물이 글썽인다. 가장으로서 식솔들을 챙기느라 자신의 삶은 접어둔 채 무거운 책임을 어깨에 짊어지고 살아야 했던 큰오빠. 그것은 이 시대 모든 가장들의 모습이었다. 큰오빠에게도 자신이 꿈꾸던 삶이 있었을 것이니, 자신에게 주어진 짐을 훌훌 털어내고 자유롭게 살아가고 싶은 마음이 왜 없었겠는가.

사람들은 누구나 행복하고 아름다운 삶을 살고 싶어한다. 때로는 바람처럼 떠돌며 자기가 가고 싶은 대로, 머물고 싶은 대로, 구애받지 않고 자유롭게 살아가기를 원한다. 하지만 우리의 삶은 늘 현실의 굴레에 얽매어 있다. 가장으로서, 부모로서, 자식으로서 가족을

부양해야 하고 부모를 봉양해야 하는 현실에서 한시도 벗어나지 못한 채 주어진 삶의 굴레에 순응하면서 살아가야 하는 것이 우리네 삶의 모습이다. 자기가 원하는 삶을 살아가려면 다른 한쪽을 포기해야 한다. 좀 더 풍요롭고 즐겁고 자유로운 삶을 살고 싶어하지만, 자신의 삶에 만족하며 살아가는 사람이 과연 몇이나 될까?

그래서 사람들은 산을 찾는지도 모른다. 삶에 지친 어깨를 감싸주는 넉넉한 산자락, 답답한 일상을 날려버리는 시원한 바람, 그 바람을 맞으며 잠시나마 바람처럼 자유로운 삶을 꿈꾸어 보기도 하고, 하늘 높이 솟아 있는 산봉우리들을 바라보며 그만큼이나 높았던 자신의 꿈을 되돌아보면서 잠시만의 위안을 얻기도 한다.

흘림골에서 주전골로

이번 주가 단풍이 절정이라는 말을 듣고 일부러 날짜를 맞추어서 찾아왔건만 흘림골 계곡의 단풍은 이미 절정을 지나 낙엽이 되어 떨어지고 있었다. 가물어서 그런지 남아 있는 나뭇잎도 시들어 말라버린 채 칙칙하게 매달려 있어 설악산의 아름다운 단풍을 보려면 길을 마다 않고 찾아온 등산객들의 마음을 섭섭하게 한다. 그러나 용소폭포를 지나면서 주전골로 이어지는 골짜기에는 그런대로 제법 단풍이 한창이었다. 기대했던 것만큼은 아니었지만 전체적으로 노랗게 펼쳐진 산자락에 붉은 잎들이 군데군데 박혀 있어 산 전체가 화려한 원색을 뿜어내고 있었다. 흘림골에서는 말라버린 계곡의 물줄기가 주전골에 와서는 그래도 제법 흘러내리고 있었다.

용소 폭포

　그러나 주전골을 빛나게 하는 것은 단풍보다도 하늘 높이 드리운 산봉우리들이었다. 하늘로 솟구쳐 오르는 듯한 바위 봉우리들, 산 전체를 빙 둘러가며 온통 바위로 감싸 안은 계곡을 따라가다 보면 어느새 집채보다도 큰 바위들이 여기저기에 우뚝우뚝 서서 앞길을 가로막고 있다. 그 계곡 사이로 맑게 흐르는 시냇물은 보는 이의 마음마저 시원하게 할 정도로 맑고 푸르다. 물줄기가 흘러내리는 모양도 다 제각각이다. 요란한 소리를 내며 폭포가 되어 떨어지는가 하면 바위에 배를 대고 미끄러지듯이 내려오는 물줄기도 있고, 베틀에 걸린 실처럼 가늘게 퍼져 내려오는 물이 있는가 하면 숲 사이로 보일 듯 말 듯 숨바꼭질하며 내려오는 물도 있다. 부창부수(夫唱婦隨)라. 이 골짜기를 든든하게 지탱해주고 있는 바위들이 각양각색으로 저마다의 자세를 뽐내고 서 있으니 그 바위 사이로 내려오는 시냇물도 이에 질세라 저마다의 자태로 흘러내린다. 경사진 바위를 유유히 미끄러져 내려와 잠시 연못을 이루는가 싶더니 다시 길을 떠나는 물들의 행렬, 그 연속되는 행군 속에서도 물은 쉬지 않고 아래로 아래로 흘러간다.

직녀가 짠 베를 걸어놓았는가

토끼가 찧은 떡방아 가루가 흘러내리는가

하얗게 부서져 눈이 내리는 듯

선녀가 하얀 치마 나부끼며

미끄럼을 타는 듯

쉬지 않고 흘러가는 물이여

흐르고 흘러

어디로 가는가

그렇게 서두르지 않아도

세월은 쉬지 않고 흘러가고 있으니

고달픈 생이여

우리 잠시라도 쉬었다 가자

  산을 내려오면서 되돌아보니 우리가 산 아래로 내려가는 것인지 깊은 산 속으로 들어가는 것인지 갑자기 분간이 되지 않는다. 이대로 산 깊은 곳으로 들어가 영영 산속에 갇혀버리는 게 아닌가 하는 생각이 들 정도로 주전골은 높은 바위 봉우리들이 협곡을 이루듯 계곡을 감싸고 있다. 사방을 둘러보아도 온통 바위로 된 성곽들, 저 우람한 산봉우리들 옆에 서 있자니 바위의 위용에 압도되어 내 자신이 너무나 작아 보인다. 작아진 나에게 바위가 말을 건넨다.

그대

바람처럼 살고 싶은가

여기저기 떠돌아

나타났다 사라지는 바람처럼

자유를 꿈꾸는가

하지만

비바람 견디며

묵묵히 살아가는 삶도 있으니

화려하지는 않아도

한자리에 서서

든든하게 뿌리를 박고

자신에게 주어진 굴레에 순응하며

살아가는 삶도 있으니

　바위가 전하는 묵직한 언어들, 삶이 다 그러한 것이니 힘든 일 고
달픈 일 다 잊어가면서 살아가라고, 누구에게나 힘들지 않은 삶은
없다고, 내려가라고, 가서 묵묵히 견디며 살아가라고, 바위가 자꾸
지친 내 어깨를 떠밀고 있다.

대둔산의 가을

10월엔 우리

산으로 가자

거기, 꽃보다 아름다운 단풍

바라보며

우리의 마음도 붉게 물들여 보자

단풍의 산에 갇혀

우리도 잠시

단풍이 되었다 오자

가을엔

우리들 마음 속에도

붉게 물든 단풍잎 하나씩

간직하고 살자

대한민국은 지금 등산 중

매번 등산하면서 느끼는 일이지만 우리나라엔 등산 인구가 참으로 많다. 수도권 가까운 인근은 말할 것도 없고, 주말에 차들이 그렇게 밀리는 것도 아랑곳하지 않고 열정적으로 산을 찾아 떠난다. 단풍이 절정을 이루는 10월엔 더 말할 나위도 없다. 거대한 산불이 전국의 산을 휩쓸고 지나가는 듯 한국의 산들은 온통 울긋불긋 단풍으로 물들어 산을 찾는 등산객들의 마음을 들뜨게 한다.

남도의 산들이 단풍으로 절정을 이룬다는 10월의 마지막 주말 충남 금산에 있는 대둔산으로 향했다. 경치가 아름답고 오가는 거리도 그리 멀지 않은 산이다. 거리가 멀지 않은 곳이라고 했지만, 차들이 많아 서울에서 버스를 타고 가는데 3시간 반이나 걸렸다. 그것도 아침에 일찍 출발하여 산악회 버스를 타고 버스 전용도로로 달렸기 때문에 가능한 일이었지 승용차를 타고 갔더라면 족히 5시간 이상은 걸렸을 것이다.

우리가 타고 갈 버스는 신사역에서 출발하였다. 신사역에도 산을 찾아 떠나는 차들이 많지만 사당, 잠실 등 서울 시내에서 산악회 버스가 출발하는 곳이 한두 군데가 아니니, 이렇게 본다면 전국 각지에서 등산객을 싣고 떠나는 차들이 얼마나 많을지 짐작이 간다. 10월의 대한민국은 바야흐로 단풍을 찾아나서는 등산객들로 넘쳐나고 있었다.

남한의 소금강, 대둔산

단풍이 절정일 때의 대둔산은 어떤 모습일까. 봄이나 여름에는 와 본 적이 있지만 가을에는 가 볼 엄두가 나지 않았다. 차가 막히고 사람들로 넘쳐나는 그 와중에 고생을 마다하지 않고 떠날 용기가 나지 않았다.

그런데 이제서야 용기가 난 것일까. 아침 7:30분에 서울을 출발하여 산에 도착한 것이 11시경, 원래는 케이블카가 있는 입장매표소 쪽에서 올라가기로 되어 있었지만, 사람들이 워낙 많을 것을 염려해서인지 우리가 타고 온 버스는 그 뒷편인 용문골 매표소에 우리를 내려놓았다.

등산로는 가팔랐다. 산 정상 부근까지 경사도가 험한 길을 올라가자니 생각보다 힘이 들었다. 별로 볼만한 경치도 없이 그저 산비탈을 타고 묵묵히 올라가야만 했다. 거의 1시간 반을 올라 이쪽 능선의 정상 부근이라고 할 수 있는 낙조대에 올랐다. 산꼭대기에 넓은 공터가 있고 사방으로 시야가 훤히 트여 있어 낙조를 감상하기에는 더없이 좋은 장소 같았다.

휴식 겸 천천히 점심을 먹고 나서 산 능선을 따라 정상인 마천대로 향했다. 마천대까지는 대략 30여분 정도의 거리, 능선을 따라 정상에 이르기까지 눈길을 끌만한 멋진 풍경들은 별로 보이지 않는다. 이렇게 평범한 산이 어떻게 남한의 소금강이라는 별명이 붙었는지 잘 이해가 가지 않는다는 친구도 있었다. 그러나 대둔산의 절경은 이쪽이 아니라 저쪽이었다.

산 정상에서

산 정상에 올라 아래를 내려다보니 높고 낮은 산줄기들이 사방으로 끝없이 펼쳐져 있고 산자락 아래 넓은 평지에는 집들이 옹기종기 모여 마을을 이루고 있었다. 평소에는 세상이 이렇게 넓다는 생

정상에서 바라보는 산의 모습들

각을 하지 못했는데, 산 정상에서 내려다보니 눈길이 닿는 아득히
먼 곳까지 세상은 참으로 넓고도 넓었다.

　대둔산 정상에는 다른 산에서 볼 수 없는 이상한 철탑이 세워져
있다. 일명 개척탑(開拓塔)이라고 하는 탑이다. 모든 산의 정상에는
정상임을 알리는 표지석을 세우는 것이 보통인데, 이런 철탑이 왜
산꼭대기에 세워져 있는지 처음에는 의아해하기도 했다. 이름도 그
렇지, 개척탑이라니― 여기가 새마을 운동의 발상지라도 되나 하
는 생각이 들기도 하였다. 정상에 세워진 그 탑으로 인해 사방의 시
야가 가려질 뿐만 아니라 사람들이 편히 앉아 쉴 수 있는 자리도 그
철탑이 다 차지하고 있었다.

산 정상에 세워진 개척탑

무릉(武陵)은 어디인가

　대둔산 하면 대표적인 상징물로 케이블카와 구름다리, 그리고 삼
선계단이 있다. 그 중에서도 구름다리는 대둔산의 대표적인 명물로

이쪽 봉우리와 저쪽 봉우리 사이의 계곡을 가로질러 놓은 다리이다. 속세와 선계(仙界)의 경계인 듯, 저 다리 건너편의 산세를 바라보고 있노라면 아름다운 경치 속으로 빨려들어가는 것만 같다. 신선이 산다는 곳이 있다면 바로 저런 곳이 아니겠는가.

구름다리 주변의 경치

　　누구나 대둔산에 오면 이 다리 위에서 사진도 찍고, 구름다리를 지나며 중간쯤에서 줄을 잡고 흔들어보기도 한다. 계곡 사이에 걸쳐져 있는 높은 다리 위에서 흔들흔들하는 짜릿함을 느끼면서 삶의 짜릿함도 함께 느껴보려는 것일까. 따지고 보면 사람 살아가는 것이 다 이리 흔들리고 저리 부대끼면서 줄을 타듯 아슬아슬하게 살아가는 것인데, 사람들은 그러한 삶도 단조롭다고 여기는지 더 짜릿한 쾌감을 느끼려고 일부러 놀이공원을 찾아 스릴을 즐기기도 하는 모양이다.

　　삼선계단 역시 대둔산의 상징이다. 마치 허공에 계단을 걸어놓은 듯 높은 산봉우리에서 수직에 가깝게 걸쳐 있는 이 다리를 보고 있으면 보고 있는 것만으로도 아찔한 현기증을 느낀다. 계곡을 가로지르는 구름다리를 건너 삼선계단을 오르다 보면 한 계단 한 계단 마치 하늘로 올라가는 듯, 구름 속 신선들이 노니는 선경(仙境)에 이를 것 같은 착각마저 든다.

구름다리 주변에 만들어 놓은 전망대에서 올려다보는 대둔산의 모습은 가히 비경(秘境)이라 부르기에 손색이 없다. 길게 뻗어나가는 산줄기는 아득히 구름 속에 가려져 있고, 붉은색으로 활활 타오르는 깊은 산속 여기저기에 집채보다도 큰 무수한 바위들이 우뚝우뚝 솟아 있어 성곽이 산을 빙 둘러싸고 있는 듯, 호위병들이 떼를 지어 산을 지키고 있는 듯 바위들이 솟아 있는 모습들이 자못 웅장하고 늠름하다.

참으로 멋지고 아름다운 풍경들이다. 가만히 바라보고 있으면 세속의 온갖 시름이 다 잊혀지는 듯, 구름다리를 배경으로 하여 대둔산의 아름다운 단풍은 사진으로만 보아왔는데, 내가 지금 여기에 서 있다는 것이 비현실 속의 세계에 들어와 있는 것만 같다. 마치 몽유도원도의 그림 속에 들어와 있는 듯 몽롱한 취기마저 느낀다. 단풍에 취한 것일까, 저 붉게 물든 숲 어딘가에는 지금도 분홍빛 선연한 복사꽃도 피어 있을 것이니, 그 흩날리는 꽃잎 따라 한발 한발 걸어 들어가다 보면 병풍처럼 펼쳐진 바위들 사이로 조그만 동굴도 보일 것이다. 무릉으로 들어가는 길이 거기에는 분명히 있을 것만 같다.

하산

올라갈 때의 길도 경사가 심해 좀 힘들었는데, 내려올 때에도 힘든 건 마찬가지였다. 정상 부근에서부터 시작된 돌길이 산 아래까지 이어져 있었다. 내려오는 중간에 구름다리 주변에서 아름다운 경치를 감상하느라고 잠시 힘든 것을 잊어버리기도 했지만, 케이블카 타는 곳에서부터 주차장까지 내려오는 길 역시 돌길과 돌계단으로 이어져 있어 무릎에 무리가 오는 게 느껴진다.

등산하기에는 힘이 들었지만 그래도 고생한 만큼 눈과 마음이 호강스러웠던 즐거운 산행이었다. 바위들이 병풍처럼 펼쳐져 있는 깊은 골짜기 어디쯤에서, 붉게 물든 단풍으로 울긋불긋 수놓은 산자락 어디쯤에서 고기 잡던 어부가 복사꽃 찾아 이리저리 헤매고 있을 모습이 자꾸만 어른거리는 산, 남한의 소금강이라고 부르는 이유를 이제야 알 것도 같다.

도봉산(道峰山) ②
─ 다락 능선

산새도 날아와
우짖지 않고

구름도 떠가곤
오지 않는다

인적 끊인 곳
홀로 앉은
가을 산의 어스름
………

― 박두진「도봉」

　박두진 시인의 <도봉>이란 시에 나오는 도봉산은 외롭고 쓸쓸한
산이다. 산새도 날아와 울지 않고 구름도 한 번 지나가서 돌아오지
않을 정도로 적막한 산이었다. 이 시가 1940년대에 쓰여졌으니 당
시에는 그럴 만도 했을 것이다. 그러나 오늘날의 도봉산은 더 이상
외롭고 쓸쓸한 산이 아니다. 휴일마다 도봉산에는 사람들이 구름
처럼 몰려들고, 각양각색의 등산복을 입은 등산객들로 산은 지체와
정체를 반복하면서 올라가야만 했다.
　사람들이 이렇게 붐비다 보니 등산로 입구 주변에는 음식점들과
등산용품을 파는 가게들이 즐비하다. 등산용품을 파는 상점들은 모
두 여기에 모여있는 듯, 우리가 익히 알고 있는 유명 상표를 단 가
게들이 길 양편으로 죽 늘어서서 지나가는 등산객의 발길을 유혹

하고 있다. 저녁 무렵이 되면 음식점 또한 빈 자리를 찾기가 어려울 정도로 사람들로 넘쳐났다. 산에 오르기 위하여 여기에 오는 것인지, 음식점을 찾아 오는 것인지 분간하기 어려울 만큼 음식점에는 사람들이 산보다도 더 북적거렸다.

도봉매표소에서 산 정상에 오르는 길은 여러 갈래가 있지만, 우리는 오른쪽으로 해서 다락능선을 따라 오르기로 하였다. 정상인 자운봉은 740m라고 하니 아주 높은 산은 아니지만 그렇다고 올라가기에 그리 만만한 산도 아니었다.

1시간이 조금 넘게 열심히 오르다 보니 중간 지점을 조금 넘어서는 곳에서 능선 저편으로 망월사가 있는 산자락이 보이면서 시야가 훤하게 트인다. 정상 쪽으로는 나무들이 가려서 아직 보이지 않았지만, 맞은편으로 보이는 산자락은 바위 봉우리들이 능선을 타고 우뚝우뚝 솟아 있는 모습이 자못 준수하고 수려한 산세를 이루고 있었다.

거기서 한 시간 정도를 더 오르니 문득 하늘 높이 솟은 바위 봉우리들이 일시에 눈 앞에 펼쳐진다. 앞을 온통 가릴 정도로 엄청난 바위덩어리들이 병풍처럼 잇닿아 산자락에 넓게 펼쳐져 있는데, 그 중에서 우뚝 솟은 3개의 봉우리가 하늘로 쭉 뻗어올라가 허공에 매달려 있는 듯 장엄하고 황홀하다.

산봉우리의 자태에 잠시 넋을 잃고 바라보고 있는데, 그 사이에 안개가 어디에서 일어났는지 바위를 타고 산 정상으로 슬금슬금 기어오른다. 안개는 일렬로 떼를 지어 산자락 아래에서부터 서서히 바위 절벽을 타고 오르는데, 마치 노련한 암벽 등반가가 바위를 타고 올라가는 듯, 선녀가 흰 치맛자락을 나풀거리며 하늘로 오르는 듯 가뿐한 모습으로 산자락을 타고 삽시간에 정상에 가 닿는다. 그런가 싶더니 어느새 흩어져 흔적도 없이 사라지고 안개에 가려있던

봉우리들은 새롭게 몸단장이라도 한 듯 더욱 선명한 모습으로 다가
온다.

　잇닿아 있는 봉우리 중에 제일 높은 봉우리가 도봉산의 정상인
자운봉(紫雲峰)이고, 그 옆으로 만장봉(萬丈峰), 선인봉(仙人峰)이
호위하듯 서 있다. 선인봉이라니, 저 바위가 신선들이 노니는 곳인
가. 그렇다면 방금 일어난 안개는 신선이 타고 하늘로 오르는 운무
였던가. 아닌 게 아니라 신선들이 사는 곳이라 해도 손색이 없을
정도로 산봉우리가 장관을 이루고 있다. 자세히 보니 피어오르는
안개 속으로 선녀들의 옷자락이 보이는 것도 같다.

눈을 조금만 돌리면

세상은

이리도 장엄하고 아름다운 것을

얼마나 오랜 세월을

그 자리에 서서

사람들의 마음을 사로잡았는가

바라보고 바라보아도

눈은 지칠 줄 모르고

돌아서면

다시 돌아보고 싶은

아, 아름다운 산봉우리여!

정상까지 얼마 안 남은 거리인데도 올라가는 길이 만만치가 않
다. 바위 절벽을 오르내리며 쇠줄을 단단히 잡아가며 한발 한발 내
딛는데 힘이 많이 들어갔다. 하지만 줄을 잡고 바위를 오르내리는
것도 나름대로 산에 오르는 재미가 있었다.

정상으로 가는 길목 군데군데에 산국화가 곱게 피어 있다. 동네 주변 산자락에서도 많이 보아온 꽃이지만, 여기에 핀 꽃은 산의 맑은 정기를 듬뿍 받으며 자라서인지 꽃이 더욱 선명하고 청초하게 느껴진다. 지나가는 등산객에게 일일이 인사라도 하고 싶은 듯, 길 옆으로 나와 얼굴을 내밀고 있다. 근심이 하나도 없어보이는 해맑은 모습들이다. 밤에는 많이 추울텐데, 높은 산 정상에서 추위와 바람을 견뎌내고 피어나는 꽃이 대견스럽다.

바람이 지나가고 난 빈자리
쓸쓸하여
길가에 나와 당신을 기다립니다
오랜만에 찾아와
얼굴 잠깐 마주치고
다시 발길을 돌리는 당신
그리워
오늘도 변함없이
환한 얼굴로 당신을 기다립니다

정상인 자운봉은 올라갈 수 없어 대신 옆에 있는 신선대에 오른 다. 자운봉보다 조금 낮은 산봉우리이다. 신선대에 올라 사방을 둘러보니 시야는 끝없이 펼쳐지는데 멀리 저 아래로 인간들이 모여 사는 세상도 희미하게 보인다. 갑자기 내가 인간 세계에서 벗어나 아득한 곳에 와 있는 느낌이 든다. 신선대에 올라서니 나도 신선이 되어 하늘로 오르려는가? 우화등선(羽化登仙), 그렇지 않아도 겨드랑이가 간지러운 것이 날개가 돋아나는 기분이다.

이 험한 길 힘들다 마시고
올라오시라
자주는 아니더라도
일년에 한 번
아니,
몇 년에 한 번이라도 좋으니
와서
속세의 찌든 때
말끔히 씻고 가시라

산행을 하다 보면 올라갈 때보다 내려올 때가 더 힘들다는 말을 실감하게 된다. 몸무게가 무릎에 실려 무릎에 무리가 가고, 미끄러지거나 발을 잘못 디뎌 다치는 경우가 더 많기 때문이다. 그래서 흔히 사람들은 빗대어 말한다. 인생에서도 오르막길보다 내리막에서 더 조심해야 된다고. 올라갈 때는 앞만 보고 열심히 올라가면 되지만, 내려올 때는 여기저기 잘 살펴가면서 내려와야 한다. 이제는 내리막길을 걸어가야 하는 상황, 나는 지금 제대로 내려가고 있는가?

거의 다 내려온 지점에서 길가 왼편으로 김수영 시인의 시비가 세워져 있다. 깨어있는 지식인, 부당한 권력에 대한 신랄한 비판과 불의를 용납하지 못했던 자유인의 초상(肖像)으로 우리나라 근대 시단에 큰 발자취를 남긴 시인, 갑작스런 교통사고로 48년의 짧은 생애를 마감해야 했지만 누구보다도 뜨겁고 치열한 삶을 살았던 시인이 이 산자락에 잠들어 있다.

나는 왜 조그만 일에만 분개하는가

저 왕궁 대신에 왕궁의 음탕 대신에

오십원짜리 갈비가 기름덩어리만 나왔다고 분개하고

옹졸하게 분개하고 설렁탕집 돼지 같은 주인년한테 욕을 하고

옹졸하게 욕을 하고

한번 정정당당하게

붙잡혀간 소설가를 위해서

언론의 자유를 요구하고 월남파병에 반대하는

자유를 이행하지 못하고

이십원을 받으러 세 번씩 네 번씩

찾아오는 야경꾼들만 증오하고 있는가

....

모래야 나는 얼마큼 적으냐

바람아 먼지야 풀아 나는 얼마큼 적으냐

정말 얼마큼 적으냐...

　　　　　　　　　　　　– 김수영「 어느 날 고궁(古宮)을 나오면서 」

　조그만 일에만 분개하는 나에게, 점점 작아져가는 나에게 산을
본받으라고, 산의 넉넉한 품성을 마음에 담으라고, 산을 내려가는
내 뒤로 시인의 목소리가 자꾸만 뒤따라 온다.

사패산 똥바위를 바라보며

여기에 와서야 알았다
조물주도 배설을 한다는 것을
공룡의 발자국이 화석이 되고
나무 송진도 굳어지면 돌이 되듯이
조물주가 내려놓으신 똥도
오랜 세월이 지나면
단단해져 바위가 된다는 사실을
맞은편 언덕에 앉아
점심으로 싸온 김밥을 먹으면서
조물주도 마음이 급해지면
노상에서 그만 엉덩이를 내리시는구나
저걸 내려놓고
참 시원하셨겠구나
자꾸만 눈길이 바위로 갔다

저 바위를 바라보며 나도
내려놓기로 했다
산에 왔으니 산처럼 살자고
이제 욕심도 내려놓고
근심도 내려놓고
살아오면서 이리도 많은 슬픔들
지층처럼 켜켜이 쌓아두고 있었구나
모두 내려놓고

텅 빈 마음으로

한발 한발

힘들게 산에 오르는 마음으로

저 산처럼 바위처럼

흔들리지 않는 마음으로

여인의 치맛자락을 펼쳐놓은 듯

널따란 바위에 앉아

저 북한산 능선을 바라보는 마음으로

그렇게 넉넉한 마음으로

그리움으로

지리산 ①
— 백무동에서 중산리로

어둠의 길을 오르며

한 번 스쳐지나간 인연을 그리워하듯 지리산은 나에게 그리움의 산이다. 내 마음 한구석에는 늘 지리산이 자리하고 있었다. 언젠가는 다시 가 봐야지, 언젠가는 나도 노고단에서 천왕봉까지 종주를 해보리라 다짐하면서도 마음만 있었을 뿐, 여지껏 행동으로 옮기지를 못했다. 그냥 배낭 하나 둘러메고 훌쩍 떠나면 그만일 텐데, 그게 그렇게 쉽지가 않았다.

산행 경력이 일천하여 굳이 부끄러워할 것도 없지만, 아직 나는 천왕봉에 올라가보지 못했다. 그래도 설악산은 몇 번 오르내리면서 공룡능선도 밟아보고 하여 설악산 얘기가 나오면 나도 한마디 거들 수가 있겠는데, 지리산 얘기가 나오면 영 할 말이 없다. 지리산 산행은 딱 한 번, 성삼재에서 노고단으로 올라 뱀사골로 내려온 것이 전부였다. 그것도 기억이 가물가물할 정도로 오래 전의 일이다. 그때부터 내 마음 속에는 언제 다시 지리산에 갈까 하는 마음이 잠재의식처럼 늘 자리잡고 있었다.

서울 신사역에서 밤 10:30분에 출발한 산악회 버스는 3시간 반을 달려 지리산 뱀사골에 도착하였다. 새벽 2시경, 같이 타고 온 일행 중에는 백무동 계곡에서 천왕봉을 거쳐 중산리로 내려오는 코스를 택한 사람들이 대부분이었지만, 성삼재에서 노고단으로 올라가 천왕봉을 거쳐 중산리로 장장 35km의 거리를 종주하려는 사람도 7~8명 정도가 있었다. 하루 당일로 지리산 종주라니... 그저 부러울 따름이다.

일단 백무동으로 가는 사람들은 여기서 내려 대기하도록 하고, 종주를 할 사람을 태우고 버스는 성삼재로 향했다. 그들을 목적지에 데려다주고 1시간 만에 다시 돌아온 버스는 우리 일행을 태우고 30분을 더 달려 백무동 계곡에 도착하였다.

등산 준비를 마치고 백무동을 출발한 것이 새벽 4시가 조금 넘은 시간, 조금 올라가니 왼쪽으로 장터목으로 올라가는 길과 오른쪽으로 세석평전으로 올라가는 길로 갈라진다. 우리는 장터목으로 가는 길을 택했다. 장터목까지는 5.8㎞로 대략 3시간 정도의 거리, 초입부터 길이 자갈길인 데다가 경사가 높아 오르는데 쉽지가 않다. 그래도 날씨가 선선하여서 그런지 땀은 많이 나지 않았다. 어둠 속이라 눈에 보이지는 않았지만, 옆에서 흐르는 계곡물 소리를 들어가며 산행을 하는 것도 마음을 한결 시원하게 해 주었다.

5.8㎞가 이렇게 긴 거리인가. 가도 가도 목적지까지의 거리가 잘 좁혀지지 않는다. 올라가는 길에 날이 밝아오고 웬만큼 올라왔다 싶어 하늘이 훤히 보이는데도 이정표를 보면 이제 절반을 조금 넘어서고 있었다. 한참 올라가다 보니 산자락이 끝나는 지점이 눈에 들어왔다. 저기까지만 가면 얼마 안 남았겠구나 싶어 부지런히 올라가보지만, 길은 다시 오른쪽으로 꺾어져 길게 능선길로 이어진다. 그래도 여기서부터는 돌길이 끝나고 흙길로 되어있어서 걸어가는데 한결 수월하였다. 길가 양옆으로는 산죽나무들이 빽빽하게 늘어서 있는데 마치 담장을 두른 듯 사람의 키를 훌쩍 넘게 자란 산죽나무들이 우리를 인도해주고 있었다.

장터목 대피소에서

 힘들게 장터목 대피소에 도착하였다. 등산 지도에는 3시간 코스로 되어있지만, 시간도 넉넉한 데다가 사진을 찍으면서 쉬엄쉬엄 오르다 보니 4시간이 넘게 걸려 도착하였다. 먼저 온 일행이 취사장에서 버너에 불을 붙이고 한쪽에서는 라면을 끓이고 한쪽에서는 삼겹살을 굽고 있었다. 높은 산에 올라와서 라면을 끓여 먹는 것도 과분한 일인데 삼겹살이라니… 그런데 우리뿐만 아니라 많은 팀들이 고기를 굽고 있었고, 심지어는 문어를 가지고 와서 데쳐 먹는 사람들도 있었다.

 몇 시간 땀 흘리며 산에 올라와서 삼겹살을 구워먹는 그 맛을 무엇에 비할 수 있으랴. 고기를 너무 두껍게 썰어와서 화력이 시원찮은 버너로 익히는데 시간이 많이 걸려 애를 먹었지만, 그래도 이 높은 곳에까지 올라와서 라면에 삼겹살을 구워먹는 이 맛이야말로 힘들게 산행하고 나서 누릴 수 있는 즐거움이리라.

 장터목은 옛날 지리산 자락에 살던 사람들이 여기까지 올라와 장을 열었다고 해서 생긴 이름이라고 한다. 지리산 남쪽 기슭에 사는 사람들과 북쪽 마을의 주민들이 매년 봄가을에 이곳에 모여 장을 열고 서로의 생산품을 물물 교환하던 장터에 지금은 등산객을 위한 대피소 건물이 세워져 있다. 그냥 맨몸으로 올라오기도 쉽지 않은 길인데, 이 높은 곳에 물건을 짊어지고 올라와서 장을 보느라고 그들은 얼마나 힘들었을까. 지금처럼 등산로가 잘 정비되어 있었던 것도 아닐 테고, 신발이라고 해야 겨우 짚신이나 신고 다니던 시절이었을 텐데— 지리산에 기대어 고단하게 삶을 살아가야 했던 옛날 민초들의 삶이 눈에 선하게 그려졌다.

천상(天上)으로 가는 길

천상으로 가는 길이 있을까? 있다면 그 길은 어떤 모습일까? 아마 그 길은 하늘로 향하듯 높은 언덕을 오르고 길 주변의 넓은 들판에는 지천으로 피어 있는 꽃들이 바람에 몸을 흔들어 강물처럼 출렁거리고 있을 것이다. 뭉실뭉실 피어오르는 안개가 자욱이 바람에 날리면서 주위가 온통 운무로 뒤덮여 길이 사라졌다 나타나기를 반복하고, 천국으로 들어가는 문 앞에는 용맹한 무사들이 창검을 높이 들고 길 좌우에 버티어 서서 문을 지키고 있을 것이다.

천왕봉으로 가는 길이 그러하였다. 장터목 대피소에서 출발하여 2㎞ 정도까지의 구간은 길 양옆으로 초원같이 넓은 평야가 펼쳐져 있다. 길 중간쯤에 있는 제석봉을 중심으로 넓게 펼쳐진 초원지대에는 큰 나무들은 보이지 않고, 키작은 나무들만 띄엄띄엄 자리를 잡고 있는데 온갖 풀과 꽃들로 빽빽하게 들판을 채우고 있었다. 여기저기 고사목들이 저승문을 지키는 병사들처럼 창검을 들고 우뚝

우뚝 서 있고, 그중에 일부 고사목은 쓰러져 누워 있는 상태로 세월의 무게를 견뎌내고 있었다. 고사목이 여기처럼 군락으로 쓰러져 있는 모습도 처음 보는 풍경이었다. 하기야 고사목이라고 해서 꼭 서 있어야 되는 것은 아니니 누워서도 저렇게 멋진 풍경을 만들어 내는 것을 보면 자연은 그 모습 그 자체만으로도 아름답다는 생각이 든다.

고사목이 의연하게 버티고 서 있는 것과는 대조적으로 지천으로 피어 있는 꽃과 풀들은 바람이 불 적마다 군무를 추듯 일시에 몸을 뉘였다 일어나기를 반복한다. 붉게 머리를 풀어헤친 산오이풀과 하얀 얼굴에 보랏빛 엷은 화장을 한 구절초가 군락을 이루어 살고 있는 이 넓은 들판을 바라보고 있노라면 마치 천상의 화원에 온 듯한 느낌이 든다. 자기 집처럼 무시로 들락거리는 안개는 숨바꼭질이라도 하고 싶은 것일까. 꽃들은 안개에 가리어 숨었다 나타나기를 반복하고 그 사이사이 사람들도 가던 길을 멈추고 꽃밭에 앉아 또는 두 팔을 높이 쳐들고 자연과 하나가 되는 풍경을 연출해 낸다. 참으로 아름다운 경관이었다. 천상으로 가는 길이 있다면 이런 길이 아니겠는가?

천상의화원, 붉게 머리를 풀어헤친 것이 산오이풀

바람이 불면

흔들리자

바람이 불 때마다

고개를 숙이고

낮게 낮게 몸을 낮추는

들풀처럼

흔들리며 환하게 피어나는

풀꽃처럼

그리하여 마침내

바람과 하나가 되어가는

저 풍경처럼

제석봉을 지나 모퉁이를 돌고 등성이를 넘으며 걷다 보니 앞에
돌로 된 문이 나타난다. 통천문(通天門)이었다. 양쪽 바위 절벽 사
이로 난 좁은 길 위에 지붕처럼 넓직한 바위가 걸쳐져 있어 마치 동
굴 입구로 들어가는 기분이었다. 이 문을 지나야 천왕봉에 오를 수
있으니 통천문이라 이름한 것도 '하늘을 오르는 문'이라는 뜻인가.

아! 천왕봉(天王峯)

　　당신을 만나러 왔습니다. 당신을 만나기 위해서 불원천리 잠도 못 자고 밤새 달려왔습니다. 몇 시간을 달려, 또 몇 시간 비탈길을 오르고 무수한 돌계단을 밟으면서 당신을 보러 왔습니다. 같은 하늘 아래 당신은 늘 그 자리에 서 있는데 천왕봉이여, 이제야 당신을 만나는군요.

　　하늘 아래 우뚝 서 있는 당신, 먼 발치에서부터 마음을 가다듬고 옷깃을 여미어 당신을 맞이합니다. 천왕(天王)이라니— 천하를 다스리는 왕인가요? 뭇 산들의 우러름을 한몸에 받으며 가장 높은 곳에서 의연하게 서 있는 늠름한 당신, 당신을 바라보고 있으려니 마치 거대한 바위가 하늘을 떠받치고 있는 듯, 당신이 없으면 하늘이 금방이라도 무너져내릴 것 같은 생각마저 듭니다.

　　당신을 보기 위해 모여드는 무수한 사람들, 여전히 당신은 만인의 우러름을 받고 있군요. 당신을 만나고 온 인연의 증표라도 있어야 하겠기에 당신 옆에 서서 사진을 찍었습니다. 3대가 공덕을 쌓아야 볼 수 있다는 천왕봉 일출은 애초부터 바라지도 않았지만, 임금 앞에서 신하들이 모두 머리를 조아리듯 끝없이 펼쳐진 능선들이 당신을 향해 머리를 조아리고 있는 모습은 구름에 가려 볼 수가 없군요. 조금은 아쉬웠지만 무상하게 넘나드는 구름 속에서 당신을 만난 것만으로도 행복합니다.

이제 홀가분한 마음으로 발길을 돌립니다. 좀 더 오래 머물고 싶었지만, 이 또한 마음대로 할 수 있는 일이 아니기에 늠름하고 의연한 모습 그대로 가슴에 고이 간직하고 떠나갑니다.

천왕봉(天王峯)

통천문(通天門)을 지났으니

여기는 하늘

천왕(天王)이 다스리는

하늘에 올랐으니

나도 신선이 되었는가

하늘을 떠받치고 있는 바위에 올라

사방을 굽어보니

겹겹이 둘러쌓인 구름에 가리어

인간 세상은 아득히 멀어보이고

금강산, 한라산과 더불어 지리산을 예로부터 삼신산(三神山)의 하나로 일러왔으니 그렇다면 이 천왕봉 어딘가에 신선이 살고 있을 것이다. 선녀의 모습도 볼 수 있으리라. 천왕봉 주변을 감싸고 있는 안개 속에 혹시 선녀가 살고 있지 않을까? 지리산에 운무가 많고 날씨가 변화무쌍한 것도 다 이러한 이유 때문일 것이니, 저기 어른거리는 게 선녀의 옷자락 같기도 한데 문득 다시 보니 흩어지는 안개였다. 눈을 비비고 정신을 가다듬어 다시 찾아보아도 선녀의 모습은 온데간데가 없다. 하기야 세속에 찌든 몸과 마음으로 혼탁한 눈을 비벼가며 선녀를 찾고자 한다는 것 자체부터가 애초부터 가당치도 않은 일이었을 것이다.

내려오는 길

천왕봉을 뒤로 하고 하산길로 들어섰다. 내려오는 길도 올라올 때와 마찬가지로 그리 만만하지가 않았다. 계속 돌길이 이어져 발바닥이 화끈거릴 정도였다. 중산리까지 내려오는 길이 4.8㎞, 정상에서 조금 내려오다 보니 오른쪽 산자락 바위 절벽 밑에서 가느다란 물줄기가 흘러나오는데 표지판을 보니 남강의 발원지라고 적혀 있다. 아, 여기가 바로 남강의 물줄기가 처음 시작되는 곳이구나. 큰 강물의 물줄기도 시작은 이렇게 작은 물줄기에서 출발한다는 이치를 여기에 와서 새삼 깨닫는다. 하기야 장강(長江)의 큰 물줄기도 겨우 술잔에 넘칠 정도의 작은 물에서 출발한다는 말도 있으니 좀 어려운 말로 '남상(濫觴)'이라고 하던가.

가다 보면 만나리
여기 흘러나오는 조그만 물줄기
저 골짜기의 물
먼 산에서 흘러오는 물들
흐르고 흘러
냇물이 되고
강물이 되어 만나리
만나서 서로 하나가 되리

얼마쯤 더 내려오니 길 한쪽에 우뚝 솟은 육중한 바위가 보인다. 개천문(開天門)이라고 하는 바위였다. '하늘을 여는 문'이라. 그렇다면 아래로 내려가는 사람들에겐 하늘에서 인간 세계로 내려가는 문이 될 것이니, 나도 이제 하늘 나라에서 노닐다가 다시 속세로 돌아가는구나. 저 높은 산봉우리 위에서는 속세가 그렇게도 멀어 보이더니 발길 몇 걸음 내려놓는 사이에 인간 세계에 이르다니— 하늘 나라와 인간 세계가 이렇게도 가까운 거리였던가.

개천문

중산리 탐방안내소에서

우리가 올라간 백무동 계곡은 구례 쪽이었지만 내려온 곳은 산청 마을이었다. 전라도에서 지리산을 넘어 경상도로 건너온 것이다. 거의 다 내려오는 지점에서 비가 내리기 시작한다. 많이 내리는 비는 아니었지만 그래도 우비를 써야 할 정도로 지속적으로 내렸다. 다 내려와서 웬 비란 말인가? 낮에는 멀쩡하던 날씨라 비가 올 것 같지는 않은데 새삼스럽게 비를 맞으며 내려와야 했다.

내려오니 오후 3시경, 우리가 타고 온 차는 종주를 하는 사람들에 맞추어 5:30분에 출발하기로 되어 있었다. 아직 2시간 반이나 남아 있으니 그동안 뭐를 하나? 일단은 앉아서 파전에 김치찌개를 놓고 산행으로 허기진 배를 채웠다. 밥도 한 그릇 먹고 나니 배도 불러오는데 산행으로 몸이 피곤했던지 스르르 잠이 오기 시작했다. 한쪽 귀퉁이에 앉아 난간에 기대어 졸고 있는데 비몽사몽간에 선녀의 목소리가 들린다.

"기별도 없이 찾아오시더니 이리도 빨리 내려가셨는가요? 오랜 만에 하계(下界)에 내려왔다가 먼발치에서 당신의 모습을 보았어 요. 부르려고 손짓을 했지만 당신은 이미 개천문을 지나 인간 세계 로 내려가고... 저로서는 막연히 바라볼 수밖에 없었답니다. 당신을 만나 그동안 못다한 사연이라도 나누려고 했는데 상면조차 못하고 이별이군요. 내려가는 길에 비가 오지 않았던가요? 당신에게 닿고 싶었던 저의 분신이라고 생각하세요. 오늘은 이렇게 헤어지지만 언 젠가는 다시 만날 날이 있을 거예요. 부디 그날을 기다리고 있겠습 니다."

멀어져가는 선녀에게 손을 내저어 붙잡으려 하는데 갑자기 빗줄 기가 굵어지더니 빗소리에 잠이 깼다. 깨어보니 정신은 아득하고 선녀는 어디에도 보이지 않는데 한참을 머뭇거리다가 정신을 가다 듬어 생각해 보니 참으로 허망한 일이 아닐 수 없다. "선녀여, 무산 (巫山)의 선녀여! 지금은 속세의 인연에 얽매어 이대로 발길을 돌리 지만 언젠가는 나도 하늘 나라에 닿을 날이 있을 것이오. 그때까지 인연의 끈을 놓지 말고 기다려주기를 바라오." 나의 간절한 말을 선 녀는 들었으리라.

천왕일출(天王日出), 노고운해(老姑雲海), 반야낙조(般若落照) 등 지리산에서 경관이 아름다운 10곳을 가리켜 지리산 10경이라고 한다는데, 오늘 우리의 산행은 노고단의 운해도, 반야봉의 져녁 노 을도 보고 오지는 못했지만, 그래도 꿈에 그리던 천왕봉에 올랐으 니 더 이상 아쉬울 게 없었다. 언젠가는 지리산의 10경을 다 둘러볼 날이 있으리라.

산은 늘 그 자리에서 언제나 우리를 기다리고 있을 것이니, 사람 들이여! 삶에 지치고 힘들 때마다 산으로 가자. 어느 시인의 말대로

산은 늘 변하면서도 언제나 첫 마음이니, 어디 지리산만 그러하겠
는가. 힘들 때마다 가까운 산에라도 가서 산의 마음을 가슴에 담고
오자.

지리산 ②
— 노고단에서 연하천까지

다시 시작하는 마음으로

아침 8시, 배낭을 메고 집을 나섰다. 배낭의 무게가 제법 무겁다. 무게를 재어보니 13.2kg, 한 손으로는 잘 들리지도 않는다. 이 무거운 걸 메고 산행을 제대로 할 수 있을까 하는 생각이 들었지만, 2박 3일 동안 먹어야 할 것과 산행에 필요한 물건들을 챙기다 보니 덜어낼 만한 물건이 별로 없어 보인다.

기상청에 들어가서 지리산 날씨를 보니 대략 4~9도의 온도였다. 가을옷을 입기에도, 겨울옷을 입고 가기에도 참 애매한 날씨다. 걷다 보면 더워질 테니 요즘 입는 옷에 추울 때를 대비해서 여벌로 1벌을 가지고 가려고 하였지만, 배낭이 꽉 차서 옷이 들어가질 않는다. 하는 수 없이 겨울 등산복을 입고 가는 수밖에 없었다. 아침 저녁으로는 추울 테니 추위에 떠는 것보다는 그래도 더위를 참는 게 더 나을 성 싶었다.

배낭을 메고 집을 나서니 묘한 해방감이 느껴진다. 뭐 그리 얽매어 사는 것도 아닌데 현실을 벗어난다는 그 자체만으로도 묶여 있는 끈을 풀어내고 홀가분한 심정이 되어 떠나는 기분이다. 앞으로 2박 3일 동안 어떤 일들이 벌어질지, 집에 있을 때에는 느껴보지 못했던 설레임과 함께 다가올 시간에 대한 기대감이 교차한다.

서울남부터미널에서 9:30분에 출발하여 구례에 도착한 것이 12:40분경, 구례에서 성삼재까지 가는 버스는 2:20분에 있었다. 근처 식당에서 점심을 먹고 나니 1시간이 남는다. 터미널 공터에 있는 벤치에 앉아 가지고 온 책을 꺼내들었다. 가고 오는 시간에 무료한 시간을 달래려고 가져온 가벼운 내용의 수필집이다. 낯선 외지의 조그마한 도시, 터미널 야외 벤치에 앉아 멀리 지리산 자락을 바라보며 책을 읽는 한가한 시간, 내가 지금 여기에 이렇게 앉아 있다는 사실이 비현실적으로 느껴진다. 갑자기 삶이 헐거워지는 기분이다.

버스를 타고 성삼재로 가는 길은 놀이 기구를 타고 하늘을 오르는 것처럼 스릴이 있으면서도 아기자기한 맛이 있었다. 구절양장(九折羊腸), 구불구불 늘어진 길이 끝도 없이 이어진다. 설악산 한계령보다 높은 1,100여 미터의 높은 고개다 보니 그럴 만도 한데, 그렇다고 올라가는 길이 경사가 가파르다거나 위험해 보이지도 않는다. 벼랑 쪽으로는 나무들이 울창하여 숲을 이루고 있는 데다가 워낙 길을 많이 구부려 놓아 긴 오르막길이 없다 보니 높이 올라가는 데도 오히려 편안한 느낌이 든다.

성삼재 주차장

성삼재에서 노고단에 오르는 길 또한 등산로라기보다는 산책로에 가까웠다. 넓게 잘 닦여진 길에 경사도 완만하여 노고단까지 큰 차가 다닐 정도였다. 그런데 문제는 배낭의 무게였다. 여지까지는 차를 타고 와서 그 무게를 실감하지 못했는데, 등에 메고 걸어가자니 마치 무거운 돌덩이를 짊어지고 가는 느낌이다. 어깨가 아파 20분도 채 못가서 쉬어야 했다. 이렇게 무거운 배낭을 메고 산행해 본 적이 없어서 무게에 대한 중요성을 미처 깨닫지 못했는데, 노고단까지야 얼마 안 되는 거리이니 어떻게든 가겠지만 내일부터의 일이 걱정이 되었다. 이 짐을 지고 무사히 등산을 마칠 수 있을까. 그래도 걷다 보니 이것도 그럭저럭 적응이 되는지 중간에 한 번 더 쉬어가기는 했지만 40여분 만에 노고단에 도착하였다.

노고단에 도착한 것이 대략 4시쯤, 와서 보니 옛날과 많이 변해 있었다. 예전에는 조그만 산장 아래로 비탈진 마당이 운동장처럼 넓게 자리하고 있었는데, 지금은 산장 앞으로 포장도로가 나 있고, 그 주변에는 나무를 심어 깔끔하게 정리해 놓았다. 노고단에 와 본 지가 20년도 더 지난 과거의 일이니 변하는 것도 당연하겠지만, 그래도 자연만큼은 예전의 모습 그대로 남아 있어 주기를 바라는 마음은 어쩔 수 없다. 옛것에 대한 그리움 때문이리라.

노고단 대피소

시간이 남아 여기저기 둘러보다가 저녁을 먹고 나니 6시가 조금 지난 시간, 산중은 이미 어둠이 짙어졌는데 어둠 속에서 안개가 자욱이 밀려온다. 깜깜한 어둠 속에서 희미하게 비치는 불빛 사이로 안개는 거침없이 밀려와 온 산을 삼켜버리고 어둠마저도 덮어버린다. 낯선 이방인에게 자신의 존재를 과시라도 하려는 걸까. 하얗게 밀려오는 안개를 한동안 바라보고 있자니 어느새 나도 안개에 갇혀 안개의 일부가 되어버렸다.

저녁을 먹고 대피소에 누워 있으려니 할 일이 없다. 이제 7시가 조금 넘었는데 잠들 때까지 뭘 해야 하나. 그냥 멍하니 앉아 있을 수도 없고… 이어폰을 끼고 핸드폰에 저장해 놓았던 노래나 모처럼 실컷 들으면서 잠이 빨리 오기를 기다렸다. 시간이 참 더디게도 흘러간다. 어찌어찌하여 잠이 들었다가 새벽에 잠이 깼는데 시계를 보니 새벽 3시이다. 화장실에 가려고 밖으로 나오니 달빛이 어찌나 밝은지 눈이 부셔서 제대로 쳐다보지도 못할 정도이다. 별들도 많이 떠서 밝게 빛나는 밤, 몇몇 등산객들이 짐을 챙겨 밖으로 나온다. 그 시간에도 길을 나서는 사람들이 있었다.

노고단 대피소 내부의 모습

지고 온 짐에 대해서도 생각해 보았다. 이 무거운 배낭을 짊어지고 연하천 대피소까지 10.5km의 길을 걷는다는 게 아무래도 무리였다. 목적지까지 무사히 가기 위해서는 짐을 줄여야 했다. 어떻게 짐을 줄여야 하나? 덜 필요한 물건부터 버리는 수밖에 없다. 8천 얼마를 주고 산 햄부터 아깝지만 버렸다. 반찬용으로 가지고 온 참치캔도 버리고, 취사용 가스 1통도 필요한 사람 쓰라고 취사장에 놓았다. 물도 한 통 놓고 왔다. 예비로 가지고 온 우산도 두고 나왔다. 산의 날씨가 변화무쌍하여 예기치 않은 일을 몇 번 당했던지라 걱정스런 마음에 가져오긴 했지만 어쩌겠는가, 비가 오면 그냥 맞는 수밖에.

막상 버리고 나니 처음부터 없어도 되는 물건들이었다. 높은 산에 오를 때에는 감당할 수 있는 최소한의 짐만 챙겨와야 한다는 것을 이번 산행을 하면서 몸소 깨닫게 되었다. 그러고 나서 짐을 꾸리니 배낭이 한결 가벼워진 느낌이다. 버리고 비워야 몸도 마음도 편해진다는 걸 산에 와서도 깨닫게 된다.

아침에 밥을 해 먹고 나오는데 옆에 있던 나이가 지긋하신 분이 젓가락 남는 게 있냐고 물어본다. 여분으로 가져온 젓가락 몇 개도 얼른 주었다. 그런데 그분의 나이가 심상치가 않다. 실례지만 연세가 어떻게 되시냐고 물어보니까 일흔여섯이란다. 일행이 모두 5명이었다. 어디까지 가시느냐고 물어보니 노고단, 연하천, 세석에서 각각 1박을 하고 천왕봉을 거쳐 중산리로 내려간다는 것이었다. 아니, 저 나이에도 지리산 종주를 하다니… 5명의 일행이 친한 친구들인 듯 서로 농담도 해가면서 이번 산행에 대한 이야기를 주고받는다. 나도 저 나이에 저럴 수 있을까??

노고단에서 연하천으로

노고단에서 1박을 하게 된 데에는 순전히 이곳의 운해를 보기 위함이었다. 지리산 10경에도 해당하는 노고운해(老姑雲海), 봉우리만 조금 남겨놓은 채 산 전체를 구름으로 덮어버리는 구름의 바다, 높은 산에 망망대해 바다가 펼쳐지던 장관을 지금도 잊을 수가 없다. 그런데 기대했던 그 운해는 보이지 않았다. 밤새 몰려다니던 안개들은 모두 어디로 가버렸는지 흔적조차 보이지 않는다. 아쉬운 마음이 드는 거야 어쩔 수 없었지만, 자연의 조화를 어찌 인간의 욕망으로 다 감당해낼 수 있겠는가. 노고단의 운해도 매일같이 생겨나는 것은 아닐 터이니, 자연이 베푸는 대로 그저 받아들일 뿐이다.

노고단에서 능선을 따라 걷는 길은 시골의 오솔길처럼 호젓하다. 좁고 평평한 산길이 계속 이어진다. 동네 뒷산에 산책을 나온 듯한 기분으로 천천히 길을 걸어가고 있자니 마음마저 아늑해지는 기분이다. 신선함이 묻어나오는 이 길을 일부러 천천히 걸으면서 산의 맑은 아침 공기를 마음껏 들이마신다. 숨을 들이쉴 때마다 큰 산의 정기가 온몸에 퍼져 가슴이 시원해지고 몸이 가벼워지는 느낌이다. 맑은 공기, 밝은 햇살, 시원한 바람, 높고 푸른 하늘, 등산하기에 더없이 좋은 날씨이다.

얼마쯤 가다 보니 산자락 전망이 일시에 트이면서 아득히 펼쳐진 능선들이 한눈에 들어온다. 아, 저 장쾌한 능선들! 산은 구름을 품고, 구름은 산에 깃들여 한 폭의 아름다운 그림을 만들어내니 선경(仙境)이 바로 이런 곳이 아니겠는가. 겹겹이 포개어진 산은 아스라이 펼쳐져 하늘과 산과 바다가 한 가지 빛으로 섞이니, 이러다가 산이 바다로 흘러가버리지나 않을까, 하늘로 떠올라 영영 사라지는 것이 아닐까 하는 걱정이 들기도 한다.

\# 지리산의 장쾌한 능선들

　　　白雲雲裡靑山疊 (백운운리청산첩)
　　　靑山山中白雲多 (청산산중백운다)

　　　흰 구름 구름 속에 청산이 겹겹이요
　　　푸른 산 산중에 흰 구름도 많아라

　어느 시인의 시 구절이 분명 여기를 두고 한 말일 것이니, 예로부터 지리산을 방장산(方丈山)이라 하여 삼신산(三神山)의 하나로 일컬어 온 것이 참으로 헛된 말이 아님을 알 수 있겠구나. 비단을 펼쳐놓은 듯 곱게 펼쳐진 저 산자락 구름 속에 신선이 살지 않는다고 누가 장담할 것인가. 저것이 바로 지리산의 본래 모습일 것이니, 여기 높은 곳에 올라 뭇 산들을 굽어보는 호연지기(浩然之氣)의 기상이 바로 이런 마음이 아니겠는가.

　임걸령(林傑嶺)까지는 평탄하게 이어진 길, 이름으로 보아 고개가 분명한데 이곳은 옛날 호걸들의 은거지, 즉 주변에 키 큰 나무가 호걸처럼 많이 서 있어서 붙여진 이름이라고도 하고, 의적 두목인

임걸(林傑)의 본거지라 하여 임걸령이라 부르게 됐다고도 한다. 능선 바로 아래 쪽에 샘물이 나오는데, 이것이 바로 임걸령샘이다. 마시는 사람마다 물맛이 좋다고, 이 샘에서 나오는 물맛이 인근에서 제일가는 맛이라고 칭찬들을 한다. 미각이 발달하지 못한 나로서는 물맛까지는 잘 모르겠는데, 아무튼 햇빛이 따가운 이 무더위에 높은 산에서 나오는 시원한 물을 한 바가지 마시고 나니 지친 몸에서 힘이 새로 솟아나는 기분이다. 이렇게 높은 곳에서 물이 저렇게 줄줄 나오는 것도 신기하다.

임걸령 샘물

말로만 듣던 삼도봉(三道峰)에 이르렀다. 경상남도와 전라북도, 전라남도 세 고을이 만난다고 하여 붙여진 이름, 여기에 이르니 다른 봉우리를 지날 때에는 느끼지 못했던 남다른 감회가 느껴진다.

삼도봉

경상도와 두 전라도가 만나는

삼도봉(三道峰)

세 고을이 서로 만나

하나가 되었네

한 발짝 건너 경상도로

다시 한 발짝 뛰어 전라도로

신기하여라

구례에서 하동으로

섬진강 물줄기

몇 백리를 달려와 서로 만나듯

세 고을이

한걸음에 달려와 얼싸안았네

서로 부둥켜 안고

하나의 봉우리로 우뚝 솟았네

화개재를 지나 연하천으로 향한다. 연하천 가는 길은 그리 만만한 길이 아니었다. 5시간 이상을 걸어왔으니 이제 무릎이 슬슬 시큰거리고 어깨가 아파오기 시작한다. 아침에 따스하던 햇살은 오후가 되자 여름 날씨가 무색할 정도로 뜨겁게 내려쪼이고 있었다. 등산로 주변에 철쭉 군락지가 군데군데 모여 있어서 꽃피는 봄날에 이 길을 지난다면 화사하게 피어나는 철쭉꽃도 구경하면서, 고산 지대에 피어나는 야생화라도 감상하면서 지나가련만 지금은 단풍도 절정을 지나 낙엽이 되어 떨어지는 쓸쓸한 모습만 보일 뿐, 주변에 눈을 즐겁게 해줄 만한 경치도 별로 보이지 않는다.

그래도 어쩌겠는가. 지친 몸을 이끌고 가다 쉬다를 반복하며 길을 가는데 연하천 대피소까지는 2~3km쯤 남았으려나, 가도 가도 길은 줄어들지가 않는다. 길가에 곰 출현을 조심하라는 현수막은 왜 그리도 많은지. 정말로 곰이 나타나면 어떻게 해야 하나? 죽은 척 엎드려 있는 것은 옛날 동화책에서도 효과가 없는 걸로 판명났고… 슬슬 뒷걸음쳐서 피하라니, 그러면 곰이 안 쫓아오는가. 그렇잖아도 얼마 전에 지리산 등산로에 곰이 나타나서 등산객 몇 명이 오도 가도 못하고 어쩔 줄 몰라했다는 내용을 신문에서 본 일이 있는데, 곰은 왜 이 산에다 풀어놔서 등산객들의 마음을 심란하게 만드는가. 지리산에 오려면 이제는 곰이 동면하시는 때라도 기다렸다가 와야 하는가. 몸은 지치고 갈 길은 머니, 곰이라도 붙잡고 넋두리하는 수밖에—

그래도 걷다 보니 연하천 대피소에 이르렀다. 오자마자 땀에 젖은 몸부터 씻으려고 주위를 둘러보았으나 씻을 만한 마땅한 장소가 없다. 샤워 시설까지야 바라지도 않았지만 수건에 물을 적셔 땀이라도 닦았으면 좋겠는데, 오래된 건물이다 보니 화장실에는 손을 씻을 세면대도 보이지 않는다. 물이라고는 오로지 산에서 나오는 샘물뿐, 샘물은 제법 많이 흘러나왔다. 화장실에서라도 어떻게 씻어보려고 하였지만, 도저히 그럴 상황이 아닌 것 같아 그냥 참기로 했다.

연하천 대피소

씻지도 못한 채 밤에 대피소에 누워 있자니 옷을 갈아입었어도 몸에 땀이 배어 질척질척한 것이 영 젖은 이불 위에 누워 있는 심정이다. 잠이 제대로 올 리가 없는데, 이런 와중에도 몇몇 등산객은 벌써 곯아떨어져 신나게 코를 골고 있었다.

연하천(烟霞泉)— 안개와 노을 속에 흐르는 샘물이라는 뜻이니, 시적으로 참 멋있는 이름이다. 건물이 오래되어 다음 달부터 대피소를 폐쇄하고 새로 짓는다고 하니 다음에 여기를 다시 찾는다면 그때는 시원하게 땀이라도 닦을 수 있을까. 이름에 걸맞는 멋진 대피소가 새로 지어지기를 기대해 본다.

아! 뱀사골

　다음 날 새벽에 눈을 뜨니 4:30분경, 일찍 일어나봐야 할 일도 없고 해서 눈을 감은 채 뒤척이고 있다가 이 시간에 깨었으면 다시 잠을 청하는 것도 어려울 거 같아 그냥 일어났다. 세수를 하고 취사도구를 챙겨 일찍 아침밥을 해 먹고 나서 날이 밝기를 기다려 7시쯤에 짐을 꾸려 나왔다. 오늘 코스는 어제 왔던 길로 4.2km를 되돌아가 화개재에서 뱀사골로 내려가는 길, 거리로는 13.4km로 어제보다 조금 더 길지만 주로 내려가는 길이니 걸리는 시간은 비슷할 것이다.

　애초에는 2박 3일 동안 지리산 종주를 해볼까 하는 생각도 있었지만 나의 체력으로는 그것도 무리였다. 그냥 쉬엄쉬엄 즐기면서 다녀오자는 것이 이번 산행의 목적이었고, 무엇보다도 뱀사골을 다시 한 번 가보고 싶은 생각이 앞섰다. 천왕봉은 그래도 몇 년 전에 올라가 보았지만, 뱀사골은 오래된 예전의 기억만 머릿속에서 희미할 뿐이었다. 당시 계절이 여름이었던가? 울창한 수림과 맑은 물, 널찍널찍한 바위 등 어느 계곡에 비해서도 손색이 없는 아름다운 골짜기였다.

　뱀사골로 내려가는 화개재에서 잠시 걸음을 멈추고 어제 걸어온 길의 이쪽 능선과 저쪽 능선을 되돌아보았다. 이제 지리산을 내려가야 하는 시간, 조금 아쉬웠지만 그렇다고 여기에서 마냥 머무를 수도 없는 일이니 때가 되면 다시 또 찾아올 날이 있으리라 다짐하며 발길을 돌린다.

　뱀사골은 9.2km에 달하는 긴 골짜기였다. 능선 부근에서부터 시작되는 계곡은 돌들이 무더기로 널려 있을 뿐, 처음에는 물도 흐르지 않아 계곡이라는 생각이 별로 들지 않았다. 그런데 조금씩 내려가다 보니 땅에서 물이 스며나오고 옆에서 내려오는 물들이 합쳐지면서 물도 점점 불어나고 있었다. 그래도 예전의 모습과는 많이 달라서 이곳이 예전의 뱀사골이 맞나 싶은 생각이 들어 고개를 갸웃거리기도 하였다.

한데, 한 발짝 한 발짝씩 내려갈 때마다 풍경이 달라진다. 얼마쯤 내려왔을까. 아, 하는 탄성이 절로 나왔다. 역시 뱀사골이었다. 넓게 펼쳐진 계곡에 맑은 물은 조그만 높이에서도 폭포처럼 흘러내리는가 하면 넓은 바위 위를 부챗살처럼 퍼져 흘러가기도 하고, 때로는 군데군데 깊은 연못을 만들어 잠시 쉬어가기도 한다. 깊은 연못마다 전설이 담겨 있고 붉은 산자락이 담겨 있는데, 넓은 계곡에는 크고 작은 바위들이 물에 씻기고 깎이어 유순한 모습으로 때로는 누워서, 때로는 비스듬히 서서 흘러오는 물에 몸을 맡긴 채 유유자적 가을의 정취를 즐기고 있다. 점점 내려올수록 몸집도 커지고 살결도 하얗게 빛나는 바위들, 인간의 몸도 마음도 오랫동안 물에 씻기고 깎이면 저 바위들처럼 유순해지고 깨끗해질 수 있으려나? 나의 마음은 얼마나 물에 씻기고 닦여야 다듬어질 것인가.

단풍 또한 절정이었다. 눈을 들면 사방의 온 산이 붉게 타오르고 있고, 앞을 바라보면 내려가는 곳곳 나무들마다 형형색색의 옷으로 단장을 하고 있으니, 노란 저고리 붉은 치마를 입은 수백 수천의 아름다운 여인들이 길가에 늘어서서 나를 반겨주는 듯, 도대체 여기가 어디란 말인가. 붉게 물든 단풍잎이 바람이 불 때마다 우수수 날리고, 물 위에 떨어진 잎들은 잠시 제자리에서 맴돌다가 물길을 따라 아래로 떠내려간다. 사람들이여, 무릉(武陵)을 찾아가려거든 이제는 복사꽃을 따라갈 것이 아니라 떠내려오는 단풍잎을 따라갈 것이니, 오르고 오르다 보면 여기에 이를 것이다.

\# 뱀사골 단풍

누가 자연을 무심하다 했는가. 바람은 나뭇잎 흔들어 떠나는 나를 배웅하고 냇물은 혼자 걸어가는 나에게 함께 가기를 청하니, 이 아름다운 자연을 두고 내 어찌 무정하게 발길을 재촉할 수 있으랴.

蕭然山逕獨行林 (소연산경독행림)
溪水伴予請友諶 (계수반여청우심)
紅葉晩秋留待我 (홍엽만추유대아)
日輝朝早下丹陰 (일휘조조하단음)
凉風搖叶告離別 (양풍요엽고이별)
淸澗引跟頻步擒 (청간인근빈보금)
暫座松間觀落瓣 (잠좌송간관락판)
浮花川上顧盤潯 (부화천상고반심)

호젓한 산길 홀로 걸어가노라니
흐르는 시냇물이 함께 벗하자 청하네
늦가을 단풍은 나를 기다려 남아 있고
아침의 밝은 햇살은 붉은 그림자를 드리웠네
서늘한 바람은 나뭇잎 흔들어 잘 가라 손짓하는데
맑은 물은 발을 잡아당겨 자주 발길을 붙잡네
잠시 소나무 아래 앉아 떨어지는 꽃잎 바라보노라니
물 위에 떠 있는 단풍잎도 제자리에 돌며 머뭇거리네

생각보다 빨리 도착할 것 같아 산행 중에 먹으려던 점심을 내려가서 먹기로 했다. 뱀사골을 빠져 나와 반선터미널에 도착한 것이 대략 1시 반경, 길가 식당에 산채비빔밥을 시켜놓고 막걸리부터 먼저 주문하였다. 햇볕 따가운 산길을 6시간이나 걸어왔으니 시원한 막걸리가 생각나지 않을 수 없다.

식당 밖에 있는 탁자에 앉아 막걸리를 한 잔 따라놓고 길 건너편 산을 바라보니 산도 술을 마셨는지 대낮부터 얼굴이 불그레하다. 산과 마주 앉아 주거니 받거니 막걸리 한 병을 비우고 나니 마음이 상쾌해지는 것이 그야말로 하늘에라도 오를 듯한 기분이다. 그러고 보니 이 술이 신선들이 마신다는 유하주(流霞酒)가 아닌가. 일일청 한일일선(一日淸閑一日仙)이라. 오늘 내가 바로 신선이었구나.

몸에 큰 탈이 없고, 누추한 몸 누일 집 한 칸 있고, 앞에 놓인 술잔에 술이 가득하니 더 이상 무엇을 바라겠는가. 세상의 부귀공명이 나에게는 뜬구름과 같구나.

월출산

우리를 슬프게 하는 것들

　울음 우는 아이들은 우리를 슬프게 한다. 정원 한편 구석에서 발견된 작은 새의 시체 위에 초추(初秋)의 양광(陽光)이 떨어져 있을 때, 대체로 가을은 우리를 슬프게 한다. 그래서, 가을날 비는 처량히 내리고 그리운 이의 인적은 끊겨져 거의 일주일이나 혼자 있게 될 때, 아무도 살지 않는 옛 궁성, 그래서 벽은 헐어서 흙이 떨어지고 어느 문설주의 삭은 나무 위에 거의 판독하기 어려운 문자를 볼 때, 숱한 세월이 흐른 후에 문득 돌아가신 아버지의 편지가 발견될 때, 그곳에 씌었으되 '나의 사랑하는 아들이여, 너의 소행이 내게 얼마나 많은 불면의 밤을 가져오게 했는가.

(중략)

　달아나는 기차가 또한 우리를 슬프게 한다. 그것은 황혼의 밤이 되려 하는 즈음에 불을 밝힌 창들이 유령의 무리같이 시끄럽게 지나가고, 어떤 예쁜 여자의 얼굴이 창가에서 은은히 웃고 있을 때 …

– 안톤 슈낙「우리를 슬프게 하는 것들」

　세상을 살다 보면 우리를 슬프게 하는 일들이 많다. 서로 간에 사소한 일로 의견 충돌이 일어나는 경우도 있고, 뜻하지 않은 일로 마음의 상처를 받기도 한다. 그럴 때마다 마음이 슬퍼지는 것은 어쩔 수 없는 일이니, 그래도 어쩌겠는가. 나 혼자 살아가는 세상이 아니니, 화가 나고 자존심이 상하는 일이 있더라도 참아가면서 살아가는 수밖에.

교과서에 실린 이 수필을 읽으면서 우리의 일상생활 속에서 일어나는 슬픔과는 좀 동떨어진, 감성적인 슬픔들을 나열한 것 같은 생각이 들어 당시에는 직접 피부에 와닿지 않는 이국적인 정서가 느껴지기도 하였다. 특히, 달아나는 기차 창가에 비친 예쁜 여자의 얼굴이 왜 우리를 슬프게 하는지 처음에는 언뜻 이해가 가지 않았던 기억도 난다.

이제 좀 나이가 들어서 그런가. 이런 슬픔들이 이제는 실체로 와닿는다. 슬픔을 느끼는 대상에도 나이 차이가 있는 것인지, 젊은 시절에는 그냥 무덤덤하게 받아들일 수 있었던 것들이 이제는 아련한 슬픔으로 떠오르는 것이니, 세월은 사람의 마음도 감성적으로 만들어 놓는가 보다.

남도의 길은 멀고도 멀어라

10여 년도 훨씬 더 지난 예전의 일이다. 친구들 몇 명과 진도에 가는 길에 영암 지방을 지나가게 되었다. 평지에 우뚝 솟아 있는 월출산을 빙 돌아 지나가는데 차창 밖으로 보이는 산의 풍광이 참으로 멋진 모습이었다. 온통 바위로 뒤덮인 산자락, 그 바위들이 우뚝우뚝 하늘로 솟아오른 풍경들을 옆으로 스쳐 지나가면서 언젠가는 저 산에 한 번 올라가 보리라 마음먹은 적이 있었다. 몇 해 전에 해남에 있는 윤선도 고택과 미황사란 절에 들러 지나가는 길에도 산은 예전의 모습 그대로 한결같이 그 자리를 지키고 있었다. 차창을 잠깐 스쳐 지나가던 아름다운 여인과도 같은 산, 월출산은 나에게 그런 산이었다.

하지만 남도의 길은 멀고도 멀었다. 다른 여행으로 근처에 온 적은 한 두 번 있었지만, 산행을 위해 일부러 여기까지 내려오기에는 너무 먼 거리였다. 혼자 산행을 하기에도 그렇고, 산에 대해서 지금처럼 관심을 가지고 있던 때도 아니었다. 하지만 산은 언제나 그 자리에서 나를 기다리고 있었다.

수원에서 영암까지는 4시간이 넘는 거리, 아침 7시가 조금 넘어 출발했는데, 휴일이라 그런지 길이 막혀 차가 제 속도를 내지 못한다. 아침이라고 해가 뜨기는 떴는데 온통 하늘이 구름에 가려져 있어 해가 뜬 건지 달이 뜬 건지, 지금이 아침인지 저녁나절인지 분간이 가지 않을 정도로 날씨가 어슴푸레하다.

광주 시내를 벗어나 영암으로 가는 길은 전형적인 시골의 농촌 풍경이었다. 나주평야 드넓은 벌판이 온통 황금빛이다. 추수를 한 논이 있는가 하면 아직 하지 않은 논도 제법 많아 누렇게 익은 벼이삭이 벌판에 그대로인 채 농부의 손길을 기다리고 있었다. 논두렁에는 군데군데 갈대들이 모여서 바람이 불 때마다 몸을 흔들어대는 모습이 지나가는 길손을 배웅하는 듯, 한가로운 가을 풍경을 만들어 낸다.

산을 오르며

목적지인 월출산 입구에 도착한 것이 12시 무렵, 시간이 많이 지체되어 서둘러 산행을 시작하였다. 오늘 등산 구간은 산성대에서 출발하여 천황봉을 거쳐 천황주차장까지 7km의 구간, 시간상으로는 대략 4시간 반 정도의 거리였다. 얼마 오르지 않은 시점에서부터 이 산의 바위들과 상견례가 시작되고 점점 올라갈수록 우람한 바위들이 눈에 들어오기 시작하는데, 이후부터는 내내 바위를 넘고 바위 곁을 돌아 바위와 동행하는 산행을 하게 되었다.

출발한 지 1시간 반쯤 되었을까, 천황봉이 훤히 올려다보이는 곳에서 점심을 먹고 다시 정상을 향하여 길을 나선다. 정상까지는 아직도 절반이나 남은 거리, 이제부터가 진짜 등산이었다. 앞에 우뚝 솟아 있는 산봉우리가 정상인 것 같은데, 언뜻 보기에도 상당히 멀어 보이고 저기까지 제대로 올라갈 수 있을까 할 정도로 높아 보인다. 맞은 편으로 바라보이는 산자락은 온통 바위로 덮여 있어서 가히 바위들이 모여 사는 산이라고 할 만도 한데, 우리가 올라가는 산자락에도 크고 작은 바위들이 모여서 떼를 지어 죽 늘어서 있는 것이 마치 산등성이에 군데군데 꽃봉오리가 피어 있는 듯한 모습이었다.

꽃보다도 아름다워라

그대 오시는 길

산자락마다

겹겹이 피어 있는 바위 봉오리들

사뿐히 밟고 올라오시라

사시사철 시들지 않고

천년이 지나도록 변함이 없는

바위여, 천년의 꽃이여!

두어 시간 정도 올랐건만 이곳이야말로 인간의 세상과는 멀리 떨어진 별세계처럼 느껴진다. 이리저리 둘러보고 올라온 길을 되돌아보아도 그야말로 멋진 풍경들이 아닐 수 없다. 한 발씩 발을 내디딜 때마다 아름다운 풍경들이 새롭게 펼쳐지고, 새로운 풍경이 펼쳐질 때마다 그 아름다움은 더욱 감탄을 자아내게 되니, 그 풍경들을 놓칠세라 사진을 찍기에 여념이 없다. 우리나라에 아름다운 바위들은 모두 여기에다 모아놓은 듯, 산 전체가 거대한 수석 전시장을 방불케 한다. 옹기종기 모여있는 바위들이 이렇게도 아름다울 수 있다는 걸 이 산에 와서야 알게 되었다. 산에 올라야만 볼 수 있는 풍경들, 땀 흘려가며 산에 오르는 걸 힘들어하면서도 이런 풍경들을 보고 있노라면 힘들었던 일들이 한순간에 사라진다. 바위가 꽃보다도 더 아름답다는 걸 여기에 와서야 알게 되었다.

한발 한발 계단을 오른다

정상으로 가는 길 멀기도 하여라

가쁜 숨 내쉬며

이마에 흐르는 땀 씻어내며

바위를 넘고

산자락을 돌아나가면

문득 펼쳐지는 또 하나의 풍경

지금까지 그렇게 걸어왔으니

남은 길도

그렇게 걸어가다 보면

아득한 길 어디엔들 이르지 못하랴

바위도 서로가 모여서 산다

서로 얼굴을 맞대고

이웃처럼

마을을 이루고

언제나 그 자리에서

무언의 대화 주고받으며

오순도순

모여 사는 바위들의 마을이

사람들 사는 마을보다 더 정겹다

천황봉(天皇峯)

산행을 시작한 지 3시간 정도 지나 거의 정상에 가까워지고 있었다. 정상을 향하여 오르는 길은 얼마 안 되는 구간이었지만 경사가 급해서 쉬엄쉬엄 올라가야만 했다. 계단이 끝나는 지점에 바위 사이로 사람이 한 명 겨우 지나갈 수 있는 구멍이 있는데 통천문(通天門)이라고 한다. 하늘에 오르는 문이라 하니 이 문을 지나면 무릉(武陵)의 세상처럼 새로운 세상이 펼쳐지려는가. 복사꽃 환한 마을, 누구나 꿈꾸어 온 세상, 굶주림과 고통과 질병이 없고, 모두가 화합하여 한마음으로 살아가는 평등하고 공평한 세상이 저 건너편에는 있을 것인가. 아니면, 무병장수, 불로장생한다는 신선들이 노니는 세계가 펼쳐질 것인가.

통천문(通天門)

통천문을 지났으니 정상이 멀지 않을 터였다. 그러나 그 멀지 않은 거리인데도 산자락을 돌고 돌아 계단을 이리저리 오른 후에야 천황봉 정상에 도달할 수 있었다. 천황봉이라, 이름으로 보아 하늘의 황제가 있는 곳이니 옥황상제가 거처하는 곳이 분명할 터인데, 상제님은 다른 곳으로 거처를 옮기셨는가, 백옥루(白玉樓) 누각은 보이지 않고 표지석 하나만 높이 서서 등산객들을 맞이하고 있다. 오후의 늦은 시간인데도 많은 사람들이 모여 사진을 찍느라고 순서를 기다리고 있다. 얼마나 많은 사람들의 발길이 이곳을 다녀갔으며, 얼마나 많은 손길이 저 바위를 어루만졌으랴마는 표지석은 오늘도 변함없이 굳건하게 버티고 서서 찾아오는 등산객들과 나란히 사진을 찍기에 여념이 없다.

천황봉(天皇峯)

산을 내려오며

천황봉에서 주차장까지 내려오는 길은 3.4㎞, 시간이 늦어 부지런히 내려온다고는 하였지만 내려오는 길 역시 힘들었다. 올라갈 때에는 아름다운 경치를 감상하면서 올라가느라 힘들어도 즐거웠는데, 내려오는 길은 거의 계단과 돌길로 이어져 있는 데다가 길도 가팔라서 무릎에 부담이 많이 갔다. 그래도 험한 산길에 거의 정상에서 아래에 이르기까지 오르내리기 쉽도록 계단을 놓아 덕분에 안전하게 산행을 할 수 있었으니, 이런 시설을 만들어 놓은 사람들이 여간 고맙지 않다.

예년 같으면 지금쯤 단풍이 절정에 달했을 때인데도 붉게 물든 단풍이 거의 눈에 띄지 않는다. 올해 유난히 더위가 늦게까지 기승을 부려서 그런 것인가, 아니면 지구 온난화 때문에 단풍철도 점점 늦어지는 건가. 그래도 내려오는 길에는 제법 단풍이 군데군데 들어서 가을의 정취를 그나마 느끼게 해 준다.

그런데 단풍의 아름다운 모습보다도 더 눈길을 끄는 것은 거대한 바위들이었다. 온통 산 전체가 바위로 이루어진 산이었다. 산봉우리에서부터 산자락에 이르기까지 온통 바위의 산이요, 바위의 골짜기다. 그래서인지 산을 내려오면서도 묵직하고 엄숙한 분위기가 느껴진다.

저 산자락을 바라보며

마음 속에

산을 하나 품어 살기로 했다

묵묵히

흔들리지 않는

저 산처럼 바위처럼

하늘에 닿을 듯

의연히 솟아오른 저 산봉우리처럼

넓은 가슴으로

오가는 사람들 품어주는

넉넉하고 아늑한 저 산자락처럼

    중간쯤 내려오는 지점에 구름다리가 산자락에 걸려 있다. 다리도 단풍에 물들었는지 붉은색으로 치장이 되어 있는데, 길이는 그리 길지 않으나 산의 이쪽과 저쪽에 걸쳐 있는 것이 마치 저 다리를 건너가면 선계에서 속세로 내려가는 듯, 이 아름다운 경치를 뒤로 하고 떠난다는 것이 못내 아쉽기만 하다. 앞으로 이런 산을 얼마나 더 오르내릴 수 있을까 하는 생각을 하니 자연을 바라보는 마음이 더 애틋해진다.

　5시간의 산행과 왕복 9시간에 이르는 거리 이동, 산행도 힘든 데
다가 장거리 여정이어서 그런지 차를 타고 올라오면서도 다들 조용
하다. 수원에 도착한 것이 밤 11시가 조금 넘어서는 시간, 먼 산행에
다리도 아프고 피곤하기도 하였지만, 그래도 아름다운 경치를 실컷
즐기고 감상했으니 마음은 더없이 충만하다.

겨울

하얀 눈 뿐이어라

하늘과 땅 사이

온통 눈보라 뿐이어라

수정을 깎아놓은 듯

백옥을 늘어뜨린 듯

어허, 내가 꿈을 꾸고 있는가

분명 산에 올랐는데

깊은 바닷속

하얀 산호초 뿐이어라

북한산 ④
― 영봉(靈峯)에서

한겨울

눈 내리는 영봉에 올라보아라

로프도 없이

줄사다리도 없이

조그만 밧줄 하나만으로도

오를 수 있는

한두 번 미끄러지는 걸

견뎌낼 수만 있다면

지구의 맨 꼭대기에 올라온 듯한

두려움도 느낄 것이다

바라보고 다시 바라보아도

히말라야 눈 덮인 설산을 오른 듯

저 봉우리가 에베레스트인가

안나푸르나인가

어쩌면

천의 얼굴을 가진

인수봉 같기도 한 산봉우리가

허공을 뚫고

이승과 저승을 가르는 절벽처럼

우뚝 솟아있을 것이다

잠깐 사이에

내리던 눈은 안개가 되고

비구름이 되어

문득문득

얼굴을 내밀었다 사라지는 산자락들

승천하는 용의 모습이

저러했으리

등줄기 마디마디 꿈틀거리며

고개를 들어 용틀임하는

장엄한 자태

감히 다가설 수 없는 경건함으로

멀리 서서

그저 하늘에 오르는 모습만

바라보고 있다

선자령(仙子嶺)

물푸레나무들 사이로 난 길을 따라 걷는다. 좁은 산길을 따라 물이 흐르듯 흘러가는 사람들의 행렬, 뒤의 물결이 앞의 물결을 밀어내는 물의 이치가 길 위에서도 펼쳐진다. 이 깊고 깊은 오지의 산길에 이리도 많은 사람들을 불러들이는 이 길의 정체는 무엇일까. 지층이 쌓이듯 모든 길에는 흘러온 시간의 역사가 발자국처럼 남아있다. 마을과 마을을 이어주던 산길, 애초에 이 길을 걸었던 사람들의 고단했을 삶이 세월의 흔적으로 남아 있을 것이니, 그 흔적의 자취를 더듬어보는 것도 길을 걷는 즐거움 중의 하나이다.

웅웅웅— 높아졌다 낮아졌다 점점 가까이서 들려오는 바람 소리가 귀를 긴장시킨다. 어디서 불어오는 걸까, 저 바람은. 시작도 끝도 없이 나타났다 사라지는 바람들, 바람이 지나가는 쪽으로 등을 돌리고 있는 나무들, 숲길을 헤치고 나오니 산등성이에 넓은 평야가 펼쳐진다. 그 넓은 등성이에 우뚝우뚝 서 있는 풍차들이 하얗게 피어 있는 꽃잎처럼 아름답다. 파란 하늘 아래 하얗게 피어 있는 꽃들의 행렬, 인간의 손길로 빚어낸 물건인데도 자연의 빈자리를 메워주듯 자연과 하나가 되어 장엄한 조화를 이루고 있다. 해바라기가 태양을 향하듯 바람을 향하여 피어 있는 꽃. 바람에 몸을 기대어 서있는 하얀 바람개비와도 같은 꽃들.

바람이 모여 사는 이곳에 서서 한나절 바람과 마주하고 있으면 나도 바람이 될 수 있을까. 바람이 되어 바람처럼 가벼워질 수 있을까. 아스라이 보이는 저 능선들, 여인의 몸매처럼 유려하게 펼쳐진 산자락을 무시로 넘나들며 자유롭게 떠다닐 수 있을까. 정처 없이 떠돌다 다시 이 바람의 언덕으로 돌아와 여기 꽃과 나무들을 어루만지며 한 세상 살아갔으면—

정상에 올라올수록 환하게 내려쪼이는 햇살, 그 햇살 아래에서도 나뭇가지들은 차가운 얼음을 꽉 부여잡고 산자락을 온통 하얗게 물들이고 있다. 기대하지도 않았던 상고대를 여기에서 만난다. 살다 보면 생각지도 않은 일이 일어나듯, 길을 가다 보면 뜻밖의 풍경을 마주하게도 된다. 길을 떠나온 이에게 보내는 자연의 작은 선물, 눈이 풍성해진다.

사람들이 자연을 찾아나서는 이유도 여기에 있을 것이다. 일상에서 받은 상처를 자연의 품으로 돌아와 치유받고 다시 새로운 일상으로 나아간다. 그렇기에 사람들은 무거운 배낭을 짊어지고 산을 오르는 것도 마다하지 않는다. 삶의 고비 고비마다 무수한 고개를 넘어가면서 살아가야 하는 삶의 이치가 산을 오르는 이치와 다르지 않을 것이니, 한발 한발 걷다 보면 정상에 이르듯 힘든 일도 묵묵히 견디다 보면 그런대로 견디어나가는 힘이 생긴다.

정상에 서서 이 길이 뻗어있는 저 멀리를 바라본다. 보이지 않는 이 길의 저쪽에는 또 어떤 풍경이 펼쳐질까. 아직 가보지 않은 저 길 위에는 어떤 새로운 사연들이 담겨 있을까. 바람이라면, 여기저기 떠돌아다니는 한 줄기 바람이라면 저 길의 끝까지 따라가 볼 수도 있으련만…

삶은 늘 미지(未知)의 세계를 찾아나서는 여정, 선자령에서 또 하나 내 삶의 조각을 끼워 맞춘다.

덕유산

겨울 산으로

　이름만 들어도 거기에서 느껴지는 이미지가 있다. 덕유산(德裕山)— 덕이 많고 너그러운 어머니의 품과 같은 산, 산의 이름이 어떻게 지어졌는지는 알 수 없지만 분명 산에서 느껴지는 느낌과 무관치 않을 것이다. 그래서 그런가. 처음 와 보는 산이지만 넉넉한 여유로움이 느껴지는 것은 이름에서 오는 선입견 때문만은 아닐 것이다.

　아침 7:00시에 서울을 출발하여 산에 도착한 것이 10:30분 정도, 서울에서 3시간 반 가량을 달려 도착했으니 아주 먼 거리는 아니었다. 차에서 내려 곤돌라를 타려고 스키장 쪽으로 들어가면서 수많은 인파에 적잖이 놀랐다. 스키장에 이렇게 사람이 많이 모이는 줄을 여기에 와서 새삼 느꼈다. 스키장 입구 넓은 평지에는 스키를 타러 온 사람들과 곤돌라를 타고 등산을 하려는 사람들이 뒤섞여 그야말로 인산인해를 이루고 있었다.

그런데 문제는 타고 올라갈 곤돌라였다. 한참을 기다려 겨우겨우 표를 구매하긴 했는데, 워낙 많은 사람들이 몰려들다 보니 표를 사고도 꼬박 2시간을 더 기다려서 올라갈 수 있었다.

곤돌라를 타고

곤돌라를 타고 올라가는 시간이 15분은 걸릴 정도로 거의 산 정상까지 한참을 올라갔다. 내려서 도착한 곳이 설천봉(雪天峰), 눈 덮인 하늘 봉우리라는 뜻이겠는데 말 그대로 주위가 온통 눈으로 뒤덮여 있었다. 높은 산이니까 눈 덮인 것이야 그리 놀랄 일은 아니지만, 막상 여기에 올라와 눈길을 끄는 것은 높게 단을 쌓아 놓고 그 위에 지어진 8각형의 3층 누각이었다. 저 건물이 무엇일까. 모양새로만 본다면 사원(寺院)으로 쓰이는 건물 같기도 한데, 이런 장소에 사원이 세워졌을 리는 없고... 생김새도 특이할 뿐더러 용도가 궁금했다. 나중에 알고 보니 휴게소 겸 기념품을 파는 매점으로 이용하고 있는 건물이었다.

건물 이름이 상제루(上帝樓)였다. 상제(上帝)는 도교에 나오는 옥황상제를 일컫는 말이니 이곳이 예전에는 옥황상제께 제사를 지내던 곳인가? 갑자기 웬 옥황상제인가 하는 생각이 들었지만, 우리나라 높은 산마다 신선과 관련된 산봉우리가 많은 걸 보면 이런 이름도 그리 엉뚱한 것은 아닐 터였다.

　또 하나 사람의 시선을 사로잡는 것이 있었다. 고사목이었다. 다른 높은 산에도 고사목은 많이 있지만, 이곳에서 보는 고사목은 올라오자마자 바로 마주쳐서 그런지 다른 산에서 보는 것과 달리 강한 인상을 주었다. 추사 김정희의 '세한도'를 보는 느낌이라고 할까, 그 그림 속의 풍경이 그대로 눈앞에 펼쳐져 있는 모습이다. 아직 떨쳐버리지 못한 채 몸에 지니고 온 속기(俗氣)를 다 씻어내라는 듯 의연하게 버티고 서 있는 모습을 보니 갑자기 마음이 엄숙해진다.

정상으로 가는 길

덕유산에 오르는 중에 인상을 강하게 받은 것이 바로 고사목이었다. 예리하게 다듬은 목창(木創)이 땅속에서 불쑥불쑥 솟아오른 듯 산 정상에 이르기까지 우뚝우뚝 솟아 있어 바라볼수록 그 기(氣)에 압도당하는 느낌이다. 큰 산의 기운을 받아서일까. 죽어서도 저렇게 의연하고 강인하게 버티고 서 있다니— 얼마나 오랜 세월을 추위와 비바람에 견디면서 인고의 세월을 보내왔기에 저리도 의연한 아름다움을 지닐 수 있을까. 고사목은 정상을 지나 중봉에 이르기까지 계속 이어져 있어 이 산에서 느낄 수 있는 또 하나의 멋진 풍경을 연출해 낸다.

저 나무처럼 살자
저렇게 의연하게 살자
수많은 시간

인고의 세월 속에 단단해진 삶이

저리도 빛나고 있구나

저리도 당당하고 늠름하게

버티고 서 있구나

죽어서도 살아있구나

더욱 싱싱하게 살아가는구나

죽어서도 저리 아름답게

살아가고 있구나

곤돌라에서 내려 덕유산 정상인 향적봉까지는 600m의 거리, 걸어서 20분 정도밖에 걸리지 않는다. 눈이 많이 쌓여 있고 사람들이 워낙 많다 보니 정상까지 가는데 시간이 조금 더 지체되기는 하겠지만, 정상까지 너무 편하게 올라가는 게 아닌가 하는 생각이 들었다. 하지만 곤돌라가 있어 몸이 약한 사람들도 어렵지 않게 산 정상에까지 올라가서 겨울 눈꽃을 감상하고 고사목을 보면서 산자락에 수시로 출몰하는 운해도 바라볼 수 있으니, 이것이야말로 덕유산이 베푸는 덕성이 아닐 수 없다.

정상에서

웬 사람들이 이렇게도 많은가. 산 아래에서는 스키를 타러 온 사람들로 천지를 이루더니 산 정상에 오르니 산자락에 사람들로 가득하다. 정상 주위가 다른 어느 산보다도 넓고 평평한데도 불구하고 이 넓은 자리가 좁아보일 정도로 사람들로 넘쳐났다. 오죽하면 정상에 세워진 향적봉 표지석에 서서 사진을 찍으려고 수십 미터씩

줄을 서 있어야 할까. 형형색색의 등산복을 입은 사람들이 넘쳐나니 산에 눈꽃이 아니라 사람꽃으로 화려하게 피어 있었다. 사람도 자연의 품에 안기니 자연의 일부가 되는구나. 자연 속에 묻혀 사람도 꽃으로 피어나고 있구나 하는 생각이 들기도 하였다.

향적봉(香積峰)은 향기가 쌓여 있는 봉우리라는 뜻으로 주변에 주목나무가 많아 그 향기로 인해 붙여진 이름이라고 한다. 해발 1,614 m로 한라산, 지리산, 설악산에 이어 우리나라에서 4번째로 높은 산이라고 하는데, 향적봉에서 바라보는 주변의 풍경은 그야말로 여러 폭의 수묵화를 펼쳐놓은 듯 어디를 둘러보아도 절경 아닌 곳이 없다. 병풍을 겹겹이 둘러친 듯한 산자락이 있는가 하면 멀리 보이는 산봉우리까지 초

원처럼 넓고 아득하게 펼쳐진 능선이 이어져 있고, 다른 한편에는 온통 안개에 쌓인 산봉우리들이 보일 듯 말 듯 구름바다를 이루고 있는데, 그곳을 바라보고 있으려니 구름 위에 붕 떠 있는 느낌이 든다.

중봉을 거쳐 오수자굴로

향적봉에서 조금 내려가는 길목 경사진 산자락에 덕유산 대피소가 있다. 바람을 피해 언덕 아래쪽에 아담하게 자리를 잡고 있었다. 그곳으로 내려가 점심을 먹고 중봉으로 향했다. 중봉으로 가는 산자락은 넓고도 길었다. 그 긴 산자락 따라 눈 돌리는 곳곳마다 그냥 지나치기에는 아까운 아름다운 풍경들이 펼쳐진다. 몇 걸음 걷다 보면 멋진 풍광에 카메라를 들이대고, 또 몇 걸음 걷다가 멈춰 서서 카메라 셔터를 누르고— 자꾸 그러다 보니 나중에는 사진을 찍기 위해서 아예 장갑을 벗어버렸다. 손이 좀 시리기는 했지만 어쩔 수 없었다.

덕유산 대피소

긴 산등성이를 따라 사람들의 행렬도 길게 이어져 있다. 굽이굽이 긴 능선은 끝없이 펼쳐져 있는데 오른쪽 산자락에서 안개가 밀려오더니 잠깐 사이에 산 전체를 안개로 휘감아 버린다. 일시에 산자락이 모두 안개에 덮여 천지가 온통 자욱한 안개로 한 치 앞을 내다볼 수 없는데, 사방으로 솜뭉치가 날리듯 한동안 눈앞에서 뿌연 연기들이 흩날리다가 바람 따라 산자락 저편으로 금새 사라져버린다. 높은 산에서나 만날 수 있는 신비로운 자연의 변화가 아닐 수 없다.

중봉을 지나 오수자굴로 내려가는 길은 가파른 비탈길이라 내려가기에 매우 조심스러웠다. 눈이 잔뜩 쌓여 아이젠을 차고 걸어도 쌓인 눈과 함께 미끄러지기 일쑤였다. 몸을 낮추고 엉거주춤한 자세로 한동안 비탈길을 내려와야 했다. 올라오는 것보다 내려가는 것이 더 힘든 길이었다.

이 산에 있는 또 하나의 볼거리는 오수자굴에 솟아오른 역고드름이었다. 고드름이 거꾸로 솟아오른다는 얘기는 예전에도 들어보았지만, 여기에 와서 실제로 보게 되었다. 신기했다. 어떻게 중력의 법칙을 무시하고 물이 거꾸로 솟아오른단 말인가? 그런데 알고 보니 물이 거꾸로 솟아오르는 게 아니라 바위 천장에서 떨어지는 물이

오수자굴의 역고드름

얼어서 위로 솟아오르는 것이었다. 석회동굴에서 종유석이 생겨나는 것과 같은 이치였다. 그래도 땅에서 솟아오른 고드름을 보니 신기하기는 했다. 날씨가 얼마나 추워야 떨어지는 물이 땅으로 흐르지 않고 그대로 얼음이 되는 것인지― '오수자굴'이라는 이름이 특이하여 어떻게 지어진 이름인가 알아보니 옛날 오수자라는 스님이 이 굴에서 득도해서 붙여진 이름이라고 한다.

구천동계곡을 내려오며

오수자굴에서 백련사를 거쳐 주차장까지 가는 길은 구천동계곡을 따라 걸어 내려가는 길이다. 그 계곡의 길이가 8.4㎞, 부지런히 걸어도 2시간이 넘게 걸리는 긴 거리였다. 그만큼 이 계곡이 깊은 골짜기라는 것을 말해주는 것이기도 하다. 무주구천동에 33곳의 비경(秘境)이 있다고 하는데, 안내판을 보니 그 중의 대부분이 이 계곡을 따라 펼쳐져 있었다. 절벽을 이루는 기암괴석과 계곡에 자리한 넓적한 바위, 폭포수와 흘러내리는 맑은 물 등등, 그러나 계곡이 모두 두꺼운 눈으로 덮여 있어서 그 아름다운 모습을 찾기가 쉽지 않았다. 더구나 지친 몸으로 빨리 내려오려다 보니 그 경치를 감상하면서 내려올 마음의 여유가 생기지 않았다. 계곡의 아름다운 경치는 훗날을 기약해야만 했다.

바위들도 눈이 내리면

겨울잠을 잔다

솜이불을 덮은 듯

눈을 한 자씩이나 몸에 두르고

조용히 흐르는 물소리

자장가 삼아

긴 동면의 시간을 보낸다

바위도

지금은 쉬어야 할 시간

올해 들어 첫 산행 덕유산(德裕山), 넉넉한 어머니의 품속과도 같은 산에 들어오니 몸도 마음도 넉넉해지는 기분이다. 덕유산의 정기가 내 몸에 스며든 것일까. 올 한해 저 산처럼 살자. 저 산처럼 넉넉하게 살자. 모든 걸 품어 가슴에 안은 산처럼 넓은 마음으로 살자. 우뚝 솟은 향적봉 높은 봉우리처럼 높은 마음으로 살자. 은빛 설원으로 빛나는 저 아름다운 마음으로 살자.

저 산처럼 살자

저 산처럼

넉넉한 마음으로 살자

어머니의 품속 같은 아늑한 산자락

모든 걸 품어 가슴에 안은

산처럼

너그러운 마음으로 살자

눈보라 치는 겨울이 오면

낮게 낮게

키작은 나무로 서서

조용히 겨울을 견뎌내는

저 나무들을 보아라

죽어서도 쓰러지지 않고

풍경이 되어주는

저 의연한 나무들을 보아라

듬직하지 않은가

굽이굽이 이어진 능선길 따라

끝없이 펼쳐진 산자락 보고 있노라면

저리도 장엄한 것을

저리도 아름다운 것을

흔들리지 말고

묵묵히 참고 견디면서

우리도 저 산을 닮아가며 살자

몰아치는 눈발

그것마저도

차곡차곡 이마에 쌓아두고

은빛 설원으로 빛나는 산등성이

그 눈밭에 뒹구는 햇살처럼

환한 마음으로 살자

우뚝 솟은 향적봉 봉우리처럼

우리도

높은 마음으로 살자

불암산 단상(斷想)

사랑하는 사람을 달래 보내고

돌아서 돌계단을 오르는 스님 눈가에

설운 눈물방울 쓸쓸히 피는 것을

종탑 뒤에 몰래 숨어 보고야 말았습니다

아무도 없는 법당 문 하나만 열어놓고

기도하는 소리가 빗물에 우는 듯 들렸습니다

밀어내던 가슴은 못이 되어 오히려

제 가슴을 아프게 뚫는 것인지

목탁 소리만 저 혼자 바닥을 뒹굴다

끊어질 듯 이어지곤 하였습니다

여자는 돌계단 밑 치자꽃 아래

한참을 앉았다 일어서더니

오늘따라 엷은 가랑비 듣는 소리와

짝을 찾는 쑥국새 울음소리가 가득한 산길을

휘청이며 떠내려가는 것이었습니다

나는 멀어지는 여자의 젖은 어깨를 보며

사랑하는 일이야말로

가장 어려운 일인 줄 알 것 같았습니다

한 번도 그 누구를 사랑한 적 없어서

한 번도 사랑받지 못한 사람이야말로

가장 가난한 줄도 알 것 같았습니다

떠난 사람보다 더 섧게만 보이는 잿빛 등도

저물도록 독경소리 그치지 않는 산중도 그만 싫어

나는 괜시리 내가 버림받은 여자가 되어

버릴수록 더 깊어지는 산길에 하염없이 앉았습니다

— 박규리 「 치자꽃 설화 」

- 264 -

이루어질 수 없는 사랑에 휘청거리며 되돌아 내려가는 여인의 뒷모습이 애절하다. 속세를 떠난 한 사내와 그 사내를 못 잊어 찾아온 여인, 그러나 사랑이 아무리 애틋하다 한들 이루어질 수 없는 사랑 앞에서 인간의 능력으로는 어찌할 수 없는 일, 살다 보면 이런 일이 어디 사랑뿐이겠는가.

정초부터 웬 사랑 타령인가. 새해를 맞아 신년 산행으로 불암산을 찾았다. 불암산 입구인 상계역까지는 집에서 2시간, 서울의 맨 끝쪽에 있는 산이다 보니 산에 오르는 시간보다 여기까지 오는 시간이 더 많이 걸렸다. 불암산의 높이는 508m로 그리 높은 산은 아니다. 대략 1시간 반 정도면 정상에 오를 수 있는 산이지만, 그러나 높이로만 산의 가치를 따질 수는 없는 것이니, 몇 년 전 불암사(佛巖寺)가 있는 태릉 쪽에서 바위를 타고 오르던 당시의 짜릿한 산행을 지금도 잊을 수가 없다.

하지만 오늘은 예전과는 반대편 코스로 산자락의 능선을 따라 올라게 되었는데, 초입부터 정상 부근까지 거의 오르막으로 이어진 길이다. 1시간 남짓 오르다 보니 정상 부근 바위 봉우리들의 우람한 모습이 눈앞에 펼쳐진다. 산 전체가 하나의 거대한 바위덩어리인 듯 정상 부근에는 집채만한 바위들이 옹기종기 모여서 하늘로 솟아 있고, 산봉우리를 받치고 있는 산자락은 화강암 바위들이 널찍하게 퍼져서 미끄러지듯 절벽을 이루고 있다. 단단하면서도 미끈한 바위들은 사람들이 앉아서 쉴 수 있는 넓은 자리를 마련해주는가 하면 산자락에 깎아지르게 벼랑을 만들어 보는 이의 눈을 아찔하게 하기도 한다.

불암산의 매력은 정상 부근을 온통 뒤덮고 있는 저 바위들의 모습일 것이다. 어느 명산 못지 않게 의연한 자태를 드러내고 멋진 풍광을 연출해내고 있는 바위들의 아름다움을 보고 즐기는 재미가 있어 사람들은 즐겨 이 산을 찾는 것이리라.

눈이 온 지가 열흘이 넘은 것 같은데도 산 정상엔 아직도 잔설이 많이 남아 있었다. 산 아래쪽에서는 날씨가 따뜻해서 봄 날씨 같은데 정상 부근에서는 제법 찬바람이 불어온다. 날씨도 흐려서 정상

\# 불암산 정상

에서 마주보이는 북한산, 도봉산의 웅장한 모습이 희미하게 가려져 있었다.

불암산 하면 정상의 늠름한 바위들과 멋진 조망이 먼저 떠올라야 함에도 불구하고, 나에게는 고등학교 국어 교과서에 실렸던 수필 한 편이 자꾸 떠오른다.

...... 어느 날인가, 장대비가 몹시 쏟아지는데 뽀얀 우연(雨煙)이 하늘 땅 사이에 꽉 찼다. 줄기차게 퍼붓는 빗발은 열 발자국 앞의 시야를 흐리게 하며 땅을 두드리는 소리는 태초의 음향처럼 사뭇 장엄한 어느 오후였다. 나는 원두막에 누워서 비몽사몽간을 소요하다가 빗소리가 너무도 장엄하여 벌떡 일어나 앉았다. 하늘과 땅과 공간이 혼연일체가 된 들판을 무심히 바라보다가 문득, 흐릿한 시야에 들어오는 어떤 물체를 바라보고 나는 눈을 부릅

떴다.

원두막에서 멀지 않은 밭 언저리로 사람 하나가 걸어오고 있었다. 억수같이 쏟아지는 비를 고스란히 맞아가며, 서두르지 않고 유연히 발걸음을 옮기고 있는 여자 한 사람이 등에는 분명 바랑을 지고 있었다. 회색 승복(僧服)이 비에 젖고 있는 작달만한 키의 여승이었다.

나는 흥미에 앞서 경이의 눈으로, 장엄한 자연 앞에 외로이 서 있는 하나의 점을 봤다. 그렇게 태연할 수가 없었다. 한 발 두 발 옮기는 걸음이 그대로 태산 같은 안정(安定)이고 초연(超然)이었다. 잠시 후, 여승은 발길을 돌려 내가 있는 원두막으로 다가오고 있었다. 잘 생긴 코끝에서 빗물이 흐르고 있었다. 유난히 흰 얼굴과 원만한 턱을 가졌다.

여승은 분명코 원두막 위에서 사람이, 그것도 안경을 쓴 도회풍의 젊은 녀석이 내려다보고 있는 줄을 눈치챘으련만, 전연 도외시한 채 서서히 다가와 낙숫물 듣는 처마 밑으로 들어서서 비를 긋는 것이다. 관음보살처럼 보였다. 다소곳하게 머리를 숙인 채, 사선을 그으며 떨어지는 빗줄기를 바라보는 그의 그윽한 눈매와 표정은 인간세의 백팔번뇌(百八煩惱)가 한두 방울 빗물로 용해되고 있는, 해탈의 경지 그대로였다. 그렇게 느꼈다.

<중략>

"요 뒷산에 불암사라는 절이 있습니다. 거기 젊은 여승 한 분이 계시더군요."

젊은이의 얼굴은 꽃구름처럼 밝아지며 생기가 넘쳐흘렀다. 그는 더 이상 묻는 말 없이 가버렸다.

잠시 후에 비는 개고 햇빛이 찬란하게 빛났다. 그러나 벌써 서녘 하늘에는 저녁놀이 타고 있었다.

이튿날, 황금빛 아침 햇살이 부챗살처럼 퍼지기 시작한 무렵이었다. 참외밭 머리에 사람들이 나타난 것을 보고 나는 가슴이 울렁거렸다. 어제 본 젊은이가, 며칠 전에 만난 여승과 헤어지고 있었다. 승복 차림의 여인은 합장을 하고 고개를 숙인 채 석상(石像)이 되어 있었다.

별리(別離), 나는 그들의 별리가 어떤 쓰라림을 지닌 것인지 알 수 없었지만, 어쨌든 그것은 진실과 사랑과 참회의 성스러운 자태로 보였다. 나는 그네들이 다시 만날는지 안 만날는지는 생각지 않기로 했다.

— 유주현 「탈고 안 될 전설」

사랑이란 무엇인가. 사랑의 마음은 어디에서 오는 것이며, 사랑의 힘은 또한 어디서 생겨나는 것일까. 사랑은 왜 그리도 가슴 설레게 하는 것이며, 가슴 아픈 것이며, 이루어질 수 없는 사랑 앞에서도 쉽게 포기할 수 없게 만드는가. 사람이 살아가면서 사랑 때문에 웃고 울고, 거기에 빠져드는 것을 보면 사랑이란 것이 인간의 의지만으로는 어찌할 수 없는 운명처럼 느껴진다.

첫사랑과 헤어진 연인이 어렵게 살고 있으면 마음이 아프고, 그 연인이 남부럽지 않게 잘살고 있으면 배가 아프고, 그 첫사랑과 같이 살고 있으면 머리가 아프다고 한다. 이래저래 사랑은 아픈 것, 사랑뿐만 아니라 사람 사는 게 다 머리 아픈 일들의 연속이니 이왕 아플 바에야 사람들이여, 우리도 사랑을 하자. 꼭 남녀간의 사랑만이 아니라, 가족에 대한 사랑, 친구간의 우정어린 사랑도 있지 않은가. 자연을 아끼고 즐기는 것도 사랑의 한 방법일 것이니 자연에 대한 사랑이야말로 삶을 풍요롭게 해 나갈 수 있는 방편이 아닐런지.

불암산(佛巖山)— 사랑이란 단어와는 별로 연관이 없어보이는 산인데도 본의 아니게 사랑의 무대가 되어버렸다. 수필 때문이리라. 산 정상에서 내려다보니 산자락 주위로 사방팔방이 온통 아파트로 숲을 이루고 있다. 20~30년 전만 하더라도 산자락 아래가 모두 논밭이었고, 여름이면 밭에 참외와 수박을 심고 여기저기 원두막이 세워진 전형적인 농촌의 풍경이었을 터인데, 이제 예전의 모습은 흔적도 없이 사라져버렸다. 단지 저편의 산자락 아래 불암사란 절이 보일 듯 말 듯 자리하고 있어서 예전의 이야기를 기억에서 다시 끄집어내고 있을 뿐이다.

도봉산 ③
— 우이암(牛耳巖)에서

누가 여기에
귀를 내려놓고 갔는가
원통사(圓通寺) 절 뒤란으로
바위들 모여
울타리처럼 둘러앉은 곳
소의 귀처럼
허공에
의연히 바위 하나 솟아올랐네

심우도(尋牛圖)
그림에서 걸어나온 소 한 마리
풍경 소리에 귀 기울여
한 소식 얻으려고
잠시 발걸음을 멈추었는가
가만히 올려다보고 있노라면
문득
귀가 귀에게 전하는 말
들릴 듯 말 듯한
하늘의 음성
오랜 세월 비바람에
모난 자리

둥글게 둥글게 다듬어 온
바위가 들려주는 언어들

이제 이순(耳順)의 강을
건너가야 할 나이
어지러운 말도
바람에 씻어
순하게 다스려가며 살라고
나도
우이암 언저리에
귀 하나 내려놓는다

우이암

남한산성에서

흔들리지 않고
의연히 견뎌왔구나
무너져내리지 않고
늠름하게 네 모습 지켜왔구나
빗발치는 화살
천지를 흔들어대던 화포
온몸으로 막아내며
세월의 풍상 앞에서도 묵묵히
제자리에 서서
그 날의 상처
그 날의 아픈 기억들
말없이 전해주고 있구나

무심히 드나드는 이 문이

한때는

사지(死地)로 나아가는 길이었을 것이니

그대, 이 문을 나서는 이여

돌아보아라

이 길 어딘가에 어려있을

피와 땀과 눈물들

아직도 이 들녘 어딘가에 떠돌고 있을

한숨과 고통의 숨결을

저 소나무처럼 살자

가슴을 활짝 펴고

하늘을 향해

높이 높이 뻗어나가자

구부러진 줄기마다

아픈 사연인들 어이 없으랴

눈보라 휘날리는 추운 겨울에도

움츠리지 말고

꿋꿋하게 견디다 보면

아직은 잔설이 남아 있는

이 산자락에도

머지않아 봄은 또 찾아오리니

길이 이어지듯

삶도 그렇게 이어지고

세월도

그렇게 흘러가는 것이니

어느덧 지난날은

역사가 되고

아득한 전설이 되고

힘들었던 지난 세월

고통과 슬픔도

치욕도

참을 수 없는 분노도

그냥 그렇게 견디다 보면

흐르는 세월처럼

이 또한 지나가는 것이니

한라산(漢拏山) 등반기

제주도로

새벽 3:30분에 잠을 깼다. 산행을 간다고 이렇게 일찍 일어나보기도 처음이었다. 부지런히 준비를 하고 짐을 챙겨 4시에 집을 나섰다. 김포공항에서 7시에 출발하는 비행기를 타려면 서둘러야 했다. 집을 나오면서 근처에 있는 김밥집에 들러 김밥을 샀다. 24시간 영업하는 가게였다. 이 새벽녘에 김밥을 사러 오는 사람들이 얼마나 된다고 밤을 새우면서까지 영업을 하는 걸까? 먹고 살기가 점점 힘들어지는 세상, 종업원 2명이 피곤한 듯 가게를 지키고 있다.

아침 이른 시간이라 그런지 버스는 공항까지 가는 동안 막히는 구간 없이 제 속력으로 계속 달린다. 덕분에 생각보다 일찍 도착하여 너무 일찍 도착한 게 아닌가 하는 생각이 들었지만, 한편으로는 여유가 있어 마음이 편했다.

이번 한라산 산행은 갑자기 이루어졌다. 친구가 한라산 눈꽃을 보러 간다고 하기에 나도 엉겁결에 따라나섰다. 하루 만에 한라산 등반을 하고 집에 돌아온다는 게 가능한 일인가 하는 생각도 들었지만, 친구가 나름대로 계획하고 준비한 일일 것이니 나는 그냥 따라가기만 하면 될 일이었다.

산을 오르며

한라산 등산 코스는 몇 군데가 있지만 성판악과 관음사 코스 2군데로만 백록담 정상까지 올라갈 수 있었다. 그 중에서 성판악 코스가 많이 올라가는 등산로라고 한다. 경사가 완만하고 길도 험하지 않아 오르기에도 그리 힘들지 않기 때문이다.

공항에서 택시를 탔으면 등산로 입구까지 일찍 도착하였을 텐데, 렌트카를 빌리고 그러는 와중에 다른 일이 생기는 바람에 시간이 많이 지체되었다. 9시 반이 되어서야 등산로 입구에 도착하였다. 그런데 백록담 정상까지 등반을 하려면 산 중턱에 있는 진달래 대피소까지 12시 이전에 도착해야 된다고 한다. 진달래 대피소까지는 3시간 정도의 거리, 부지런히 올라가야만 겨우 닿을 수 있을 정도로 시간이 촉박하였다.

1월인데도 제주도의 날씨는 따뜻하다. 따뜻하다기보다는 포근하다는 말이 더 어울리는 날씨였다. 다소 눅눅한 습도에 차분하게 가라앉은 봄 날씨 같다고나 할까, 아무튼 남쪽 지방에 왔다는 느낌이 물씬 풍겨지는 날씨였다.

하지만 등산로에 들어서면서부터는 분위기가 달랐다. 등산로 입구에서부터 눈이 많이 쌓여 있어 서늘한 기운이 감돌았다. 아이젠을 차야 했지만 눈길이 그렇게 미끄럽지는 않아 그냥 올라갔다. 아이젠을 차면 속도가 느려질 것이 걱정되었다.

1차 목적지인 진달래 대피소까지는 7.3km로 3시간 정도의 거리, 거기에서 백록담 정상까지는 다시 1시간 반을 더 가야 하니 정상까지 올라가는 시간은 모두 4시간 30분이었다. 출발 시간이 늦어졌기 때문에 중간에 거의 쉬지도 않고 부지런히 걸었다. 그 결과 1시간을 단축하여 11시 반경에 대피소에 도착할 수 있었다. 정상까지 가야된다는 일념에 힘든 것도 잊은 채 올라온 것이다. 그 단축된 시간 동안에 잠시 앉아서 점심을 먹을 수 있었다.

점심을 먹고 나서도 서둘러 올라가야 했다. 겨울철에는 백록담 정상에서 1:30분에 모두 하산을 해야 한다는 것이다. 날씨 변화가 심하다 보니 내려오는 시간까지 고려하여 하산을 시키는 것이었다. 여기에서도 부지런히 올라가야 정상에서 조금 쉴 수 있는 시간이 있을 터였다. 정상까지는 그리 가파른 길은 아니었지만, 아래쪽보다는 경사가 점점 높아지고 올라갈수록 날씨도 차가워지고 있었다. 눈도 많이 쌓여 있었다.

한라산은 눈의 산이었다. 등산로 입구부터 눈이 쌓여 산을 희끗희끗하게 덮고 있었는데 점점 올라갈수록 눈은 온통 산을 뒤덮은 채 수북이 쌓여 있고 금방 내린 눈처럼 분분히 날려 마치 설국에 와 있는 기분이었다. 산이라기보다는 넓게 펼쳐진 눈밭이었다. 끝없이 펼쳐져 있는 비탈진 눈밭, 그 눈밭에서 나무들은 발목을 눈 속에 깊이 파묻은 채 조용히 겨울을 나고 있었다.

눈은 쌓여
또 하나의 세상을 만든다
모든 생명들이
하얀 이불을 덮어쓴 채
깊이 잠들어 있는 세상
잠 속에서 마음이 정갈해지는
이상한 나라

하지만 나뭇가지에는 눈이 다 녹아서 제대로 된 눈꽃을 볼 수가 없었다. 정상 부근으로 올라가다 보면 눈꽃이 핀 설해목의 장관을 볼 수 있지 않을까 하는 기대도 해 보았지만, 땅 위에만 수북이 눈이 쌓여 있을 뿐 막상 그런 경관을 볼 수 없어서 다소 아쉬운 마음이 들기도 하였다. 하지만 군데군데 고사목들이 있어서 그런대로 운치를 더해 주고 있었다.

도를 많이 닦은 고승들은

선 채로도 열반에 드신다는데

저 나무들도

생전에 도를 닦아

서 있는 그대로 열반하셨는가

일생을 한 자리에 서서

불평 한마디 없이

그저 묵묵히 살아온 나무들

죽어서도 천년을 살아가는

생불(生佛)이 되어

정상에서

　드디어 정상! 사진으로만 보던 백록담 분화구가 눈앞에 펼쳐진
다. 생각보다 훨씬 커 보였다. 날이 흐리고 옅은 연무가 끼어 바람에
날리면서 저쪽 편 산자락이 잠깐씩 보였다 안 보였다 하는 것이 마
치 산자락이 구름 속에 걸려 있는 것 같기도 하였다. 호수는 바닥을
드러낸 채 눈으로 덮여 있고 호수 안쪽으로도 키 작은 나무들이 자
라고 있었다. 물이라도 가득 출렁거렸으면 더 장엄해보였을 텐데,
텅 비어 있으니 좀 쓸쓸해 보이기도 했다. 백록담을 둘러싸고 있는
산자락은 빙 둘러가며 뾰족뾰족하게 가파른 형세를 이루고 있어서
이쪽으로만 접근이 가능하였다.

백록담(白鹿潭)
흰 사슴은 보이지 않았다
태고(太古)적 고요도

신비한 이야기도

더 이상 들려오지 않았다

천년 전에 불던 바람만

아직도 살아

바쁘게 드나들 뿐

흰 눈으로 뒤덮인 이곳엔

이제

사람들의 발길만 분분히 오가고

말로만 듣던 백록담 정상에 왔으니 사진도 찍고 문자도 보내야 하겠는데, 손이 얼어서 글자가 제대로 쳐지지 않는다. 추위를 참아가며 정상 한 귀퉁이에 잠시 앉아 있자니 차가운 바람이 쌩쌩 불어와 한기가 그대로 온몸으로 느껴진다. 그래노 몸이 추운 것은 그런대로 견딜만 하겠는데, 손이 시려운 것은 어찌할 도리가 없다. 장갑을 껴도 시리기는 마찬가지, 무릎 안쪽에 손을 넣고 녹여가면서 겨우겨우 문자를 날렸다. 드디어 한라산 정상에 올랐노라고!!

다시 비우려 한다

비우려 비워지지 않는 마음

너를 보며

다시 가슴을 열고

바람을

하늘을

아득한 전설을 담으려 한다

끓어오르는 욕망

여기에 그만 잠재우려 한다

한때는

하늘도 잡아당기고 싶었으나

때로는

하늘 끝까지 치솟아

하늘이 되고 싶었으나

하늘에서 빛나는

별이 되고 싶었으나

내려오는 길

백록담 정상에서는 바람이 많이 불어 잠시 앉아 있기도 힘들었다. 1,947m로 남한에서 가장 높은 산에 올랐는데, 그 기분을 제대로 느끼지도 못하고 이내 내려와야만 했다. 무엇보다도 손이 시려워서 견딜 수가 없었다.

내려오는 길은 올라갈 때보다 많이 지루하였다. 밋밋한 산길을 계속 걸어 내려와야 했다. 올라갈 때의 기대감이나 설레임이 없어서 그런지, 지친 몸으로 내려오다 보니 가도 가도 제자리처럼 느껴졌다.

정상에서 일찍 내려오다 보니 시간이 넉넉하여 내려오는 길목에 있는 '사라오름' 분화구를 둘러보았다. 제주도 말로 '오름'이라는 말은 산등성이나 높은 언덕을 뜻한다고 한다. 제주도가 화산섬이다 보니 화산 분화구가 많이 있는데 사라오름도 그중의 하나였다. 와서 보니 백록담의 축소판이다. 하지만 여기에서는 호수에 물이 많이 차 있어 얼음이 높은 수면에서 얼어 있었고, 호수를 둘러싸고 있는 산세도 아늑하였다.

내려와 공항에서 멀지 않은 바닷가 근처 식당에 자리를 잡고 저녁을 먹었다. 저녁을 먹고 천천히 일어나더라도 비행기 출발 시간까지는 여유가 있었다. 시간에 쫓겨 아침과 점심을 제대로 먹지 못했으니 저녁은 제대로 먹고 바닷가도 산책하면서 잠시의 여유를 즐길 수 있었다.

집으로

9:40분에 출발하는 비행기를 타고 김포공항에 도착한 것이 10:40분경, 집으로 가는 막차가 10분 전에 끊어져서 지하철을 타고 빙 돌아와야 했다. 고속터미널에서 한 번 갈아타고 수서역에서 다시 분당선으로 갈아타야 하는데 시간을 계산해 보니 막차가 아슬아슬하다. 수서역에 내려서 뛰다시피 하여 분당선 막차를 겨우 갈아탈 수 있었다. 집에 도착하니 새벽 1시가 넘어서고 있었다. 하루 만에 갔다 온 한라산 등반, 엄밀히 말하면 하루가 넘었지만— 교통이 발달하니 이게 가능한 일이었구나.

중학교 때의 일이다. 한문 시간에 '一日生活圈(일일생활권)'이라는 단어가 나왔다. 당시에는 이 단어가 매우 생소했다. 선생님이 뭐라고 설명을 했는데도 잘 이해가 되지 않아 다시 질문을 했던 기억이 난다. 그때 선생님은 우리나라가 얼마 안 가서 마이카시대가 열리고 그러면 서울에서 아침을 먹고 부산에 내려가서 일을 보다가 저녁 때 다시 서울에 올라올 수 있을 정도로 전국을 돌아다니면서 하루 만에 일을 마칠 수 있는 시대가 온다는 것이었다. 그 당시에는 마이카시대라는 것도 잘 이해가 되지 않았지만, 과연 이런 일이 가능할까 하는 의구심이 들었던 기억도 난다. 그런데 지금에 와서는 우리나라뿐만 아니라 이웃 나라에도 1시간이면 갈 수 있는 시대가 되었으니 가히 국제적인 일일생활권 시대가 열린 것이다. 앞으로의 세상은 또 어떻게 변해갈 것인가?

아침에 제주도에 가서 한라산 등반을 하고 저녁에 돌아온다? 전에는 생각지도 못했던 일이다. 시간에 쫓겨 고생하긴 했지만 그래도 한라산 정상까지 밟고 왔으니 새해 들어서 큰일 하나는 해낸 셈이다. 하지만 다시 생각해봐도 시간에 쫓겨 무리하게 올라가긴 했다. 갔다 와서 한동안 발뒤꿈치가 땡기는 후유증을 겪어야 했다.

태백산

눈은 언제 오시려는가

올해처럼 눈이 오기를 오매불망 기다린 적도 없다. 갑자기 동심으로 돌아간 것도 아닌데 웬 눈타령인가. 다른 때 같으면 눈이 오는 걸 반기는 것도 잠시, 교통난이 걱정되고 눈 치울 일이 먼저 생각났겠지만 올해는 1월 산행으로 태백산에 가기로 예정되어 있었기 때문이다. 매년 전해지는 일기 예보에 의하면 1월 중에는 강원도 일대에 많은 눈이 내리고 일부 지역에서는 마을이 고립될 정도로까지 눈이 내린다는 소식을 자주 들어왔으니, 그때쯤이면 설경을 제대로 감상할 수 있겠다는 생각이 들었기 때문이었다.

태백산 하면 우리나라 주목의 최대 군락지요, 겨울에 설경 또한 가장 아름다운 산으로 알려진 곳이다. 태백산의 설경이 아름다운 것은 여기에 눈이 많이 오기 때문일 것이다. 실제 사진으로 보는 이 산의 설경은 다른 산에 비할 바가 아니었다. 눈을 뒤집어쓴 나무들의 모습이 그냥 눈이 아니라 눈사람을 통째로 머리에 이고 있는 모습이었다.

그런데 올해는 1월달 내내 눈이 올 기미가 보이지 않다가 얼마 전부터는 이상 한파가 몰아치더니 눈이 내리는 지역도 대부분 남쪽 지방이었다. 강원도 지역은 아예 감감 무소식이다. 그래도 명색이 강원도인데, 좀 있으면 오겠지 하는 희망을 가지고 하루하루 눈 오는 날만을 기다렸다. 하지만 이런 바람에도 불구하고 하늘은 남쪽 지방에만 매일같이 폭설을 뿌려대고 있을 뿐, 강원도 지방에 눈이 내린다는 소식은 끝내 듣지 못한 채 산행에 나서야 했다.

태백으로 가는 길

아침 7시경, 경부고속도로 죽전 간이정거장에 도착하여 차를 기다리고 있었다. 6시에 일어나 날씨를 보니 영하 10도였다. 두툼한 잠바를 입고 등산용 모자를 뒤집어쓰고 집을 나섰다. 휴일날 아침은 매번 이렇게 붐비는지 등산을 가는 사람들로 정거장은 발디딜 틈이 없다. 다들 중무장을 한 복장들이었지만 추위는 별로 개의치 않는 모습들이다. 그 중에는 70이 넘어보이는 분들도 눈에 띄었다.

중앙고속도로 제천 IC를 빠져 나와 영월을 거쳐 태백으로 가는 길은 산자락을 구불구불 돌아 점점 고도를 높여가며 한참을 산속으로 들어가고 있었다. 산행 출발지인 화방재에 도착한 것이 오전 11시, 서울에서 출발하여 4시간 가까이 달려온 셈이다.

차에서 내려 등산화 끈을 다시 매고 아이젠을 차고 스틱을 꺼내어 산행 준비를 마쳤다. 날씨는 생각보다 그리 추워보이진 않았다. 화방재에서 매표소가 있는 사길령까지는 산자락을 하나 돌아가야 했다. 얼마 안 되는 거리였지만 걸어오면서 몸이 벌써 더워지는 것 같아 두꺼운 잠바를 벗고 등산 잠바로 갈아입었다. 오늘 산행은 화방재에서 출발하여 장군봉과 천제단을 거쳐 당골로 내려오는 코스로 4~5시간 정도 걸리는 거리였다.

산에 오르며

등산객은 많았지만 산에 오르는데 지체될 정도로 그렇게 붐비지는 않았다. 산행 초입을 조금 지나자 산자락엔 온통 키 작은 산죽나무들과 하늘 높이 솟아있는 낙엽송으로 뒤덮여 있다. 하얗게 덮인 눈 위로 푸른 잎사귀를 당당하게 내밀고 있는 산죽나무들, 흰색과 푸른색의 대비가 보는 이의 눈과 마음을 시원하게 한다. 그 위로 하늘 높은 줄 모르고 쭉쭉 뻗어올라간 낙엽송들이 울창하게 숲을 이루고 있어 마치 두 종류의 나무가 공생 관계인 것처럼 다정하게 공간을 나누어 자리하고 있었다.

태백산은 상당히 높은 산인데도 불구하고 산세가 그리 험하지 않아 쉽게 오를 수 있는 산이라고 한다. 처음에는 이 말이 잘 이해가 되지 않았는데, 여기에 와서 보니 그 이유를 알 수 있겠다. 등산로는 정상 부근까지 경사가 가파르다거나 돌길 같은 너덜지대도 없이 흙길로 계속 이어져 있었고 험한 구간이 거의 없었다. 더구나 이 산의 최고봉인 장군봉의 높이가 1,567m로 매우 높은 산이지만, 산행의 시작점인 화방재가 해발 936m이기 때문에 실제로 등산하는 높이는 그리 높지 않은 것이다.

처음에는 그리 춥게 느껴지지 않던 날씨가 산속으로 들어가다 보니 다시 추워지기 시작한다. 보통 때 같으면 산행하면서 몸에서 열이 나고 더워져야 정상일 텐데, 오를수록 점점 추워져 조금 지나니 체감 온도가 뚝뚝 떨어지는 것이 몸으로 느껴졌다. 하기야 이 산이 어떤 산인가. 강원도 깊고 깊은 산 속에 우리가 서 있는 곳도 해발 1,000m가 훨씬 넘는 곳에 자리하고 있으니 산속의 기온이 만만할 리가 없다. 더구나 오늘 날씨가 올 겨울 중에서 가장 춥다는 날씨가 아닌가. 벗었던 옷을 다시 입어야 했다. 바람도 점점 강하게 불어오는데 볼이 차가워서 그냥 올라갈 수가 없다. 목에 두른 목도리를 끌어올려 눈만 내놓고 얼굴을 덮어야 할 정도였다.

몸은 여러 겹의 옷을 껴입었으니 그런대로 견딜만 했지만, 문제는 얼굴과 손이었다. 얼굴 앞부분을 모두 감싸고 있으면 코에서 나오는 김 때문에 수증기가 맺혀서 축축해졌다. 그 축축한 기운 때문에 감싼 것을 풀면 얼굴은 금새 빨개지고 볼이 시려 왔다. 얼굴보다도 더 문제가 되는 건 손이었다. 두툼한 겨울 장갑을 계속 끼고 있으면 괜찮겠는데 사진을 찍느라고 장갑을 잠깐잠깐 벗을 때마다 손이 시려운 것이 몇 번 되풀이하다 보니까 손가락 끝이 얼어버릴 것만 같았다. 그럴 때마다 주머니에 있는 핫팩을 주물럭거리며 시린 손을 녹여보지만 역부족이었다.

위로 올라갈수록 바람도 점점 거세어지는 느낌이었다. 피부에 와 닿는 바람의 차가움보다도 골짜기를 타고 들려오는 맹렬한 바람 소리 때문에 더욱 긴장이 되었다. 우두두두두, 두두두두두… 북소리를 요란하게 울리며 달려오는 군사들의 말발굽 소리처럼, 바람의 그 팽팽한 소리로 인해 한층 몸이 더 얼어붙는 느낌이었다. 정상 부근엔 얼마나 거센 바람이 불어올까?

이런 추위와 고생을 무릅쓰면서도 산에 오르는 사람들을 보면 일반 사람들은 뭐라고 생각할까? 미쳤다고 할까? 하기야 위험을 무릅쓰고 암벽을 오르거나 빙벽을 타는 사람들을 보면 나도 이해가 안 가듯이, 일반 사람들이 보기에 고생을 자초하며 산행하는 사람들이 정상적으로 보이지는 않을 것이다. 그런데 이런 추위에 시달리면서도 묘한 즐거움이 느껴진다. 오늘 산에 오기를 참 잘했다는 생각이 들 만큼 마음이 상쾌하고 일상의 나태한 생활에서 벗어나 무엇에 도전하고 있다는 충만감, 살아있는 느낌이라고 할까 이런 생각이 머릿속에 가득 차올랐다.

점심은 라면으로

유일사를 지나 장군봉으로 가는 중간 지점에서 점심을 먹기 위해

자리를 잡았다. 자리라고 해야 온통 눈밭이니 눈 위에 자리를 펴고 점심을 차려야 했다. 취사가 허용되는 곳에 자리를 잡고 라면을 끓이는데, 더운 수증기가 위로 올라오는 걸 보니 추운 겨울에 군대에서 끓여 먹던 라면 생각이 절로 났다. 한겨울 밤에 보초를 서고 들어와서 추위에 꽁꽁 언 몸을 녹여가며 먹던 라면 맛을 어찌 잊을 수 있겠는가?

세상에서 가장 맛있는 라면을 먹으며

그 라면 맛을 오늘 그대로 재현해 냈다고 할까, 수북이 쌓인 눈밭에 쭈그리고 앉아 시린 손을 비벼가며 뜨끈뜨끈한 라면을 먹는 이 맛을 뭐라고 표현해야 하나? 세상에 이보다 더 맛있는 음식이 있을까?

정상으로 가는 길

집에서 준비해 온 간식까지 배불리 먹다 보니 생각보다 시간이 길어졌다. 걸음을 서둘러 오르는데 아름드리 주목나무가 눈에 들어온다. 주목 군락지였다. 족히 몇 백년은 됨직한 거대한 나무가 군데군데 서 있어 보는 이의 시선을 압도한다. 산등성이에 여기저기 서 있는 고사목들은 오랜 세월의 비바람에도 흔들리지 않고 하늘을 향해 꼿꼿하게 서 있다. 참으로 당당하고도 의연한 모습이다. 죽어서도 이 산의 아름다운 풍경이 되어주고 있는 나무들, 살아있는 나무만 나무가 아니었다. 죽은 나무도 이렇게 멋질 수 있다는 것을 고사목들을 보면서 느끼게 된다. 나무는 살아서도 아름답고 죽어서도 아름답다.

  인간에게 맑은 공기를 만들어주고 한여름 시원한 그늘을 만들어주고 아름다운 풍경이 되어주는 나무들, 때로 인간에 의해 베어져 사람들이 살아가는 집이 되어주고 가구가 되어주고, 땔감이 되어 한겨울 방안을 따뜻하게 만들어주는 나무들, 죽어서는 그 자리에서 썩어 다른 생명체의 양분이 되어주고 일부는 저리도 반듯하게 서서 아름다운 풍경이 되어주는 나무들, 그야말로 아낌없이 모든 것을 베풀어주는 나무들이다.

태백산의 아름드리 주목

  얼마 오르지 않아 정상인 장군봉에 이르렀다. 태백산에서 제일 높은 봉우리이다. 정상 부근에는 둥그렇게 돌을 쌓아 놓고 그 안에 제단을 설치하였다. 하늘에 제사지내는 제단이다. 강화도 마니산에만 제단이 있는 것이 아니라 태백산에도 하늘에 제사지내는 천제단이 있다는 것은 나중에야 알게 되었다.

천제단에 하늘에서 내려온 햇살이 환하게 비추고 있다. 어둠을 밝게 밝혀주는 빛, 하늘과 땅을 이어주는 신의 은총과도 같은 빛, 그 햇빛이 있기에 인간을 비롯하여 모든 만물이 살아갈 수 있는 것이니, 예로부터 태양이 떠오르는 하늘을 향하여 빌고 축원하며 제를 올리는 일은 인간의 일 중에서 가장 신성시하는 일이었을 것이다. 이 산에 이런 제단이 3개씩이나 세워져 있다니… 한반도의 정기가 모두 여기에 모여 여기에서 비롯되는 것임을 이 제단은 말해주고 있다.

천제단에 비치는 햇살

천제단

하산

천제단을 뒤로 하고 망경사 쪽으로 하산길을 잡았다. 천제단에서 조금 내려오니 오른편으로 단종비각이라는 조그만 사당이 보인다. 단종 임금을 모신 사당이었다. 영월에서 돌아가신 단종 임금의 넋이 태백산 산신령이 되었다고 전해진다. 조금 더 내려와 왼편으로 망경사라는 절이 있는데, 길옆으로 용정(龍井)이라는 우물이 있다. 우리나라에서 가장 높은 곳에 있는 샘물이라고 한다. 깊은 산 속 신령스러운 정기가 모여 있는 산에서 나오는 물이니 그냥 지나칠 수가 없다.

내려오는 길도 평탄했다. 길도 널찍하게 잘 닦여있는 데다가 완만한 흙길이라 내려오는 데에도 별로 무리가 가지 않는다. 눈

\# 용정

도 적당히 내려 쌓였고, 이런 내리막길에서는 비닐 포대에 앉아있기만 해도 저절로 미끄러져 내려갈 것만 같았다. 아닌 게 아니라 비닐 포대를 준비해가지고 온 사람들도 몇몇 눈에 띄었다. 하지만 내려오는 등산객들이 많아 손에 들고만 있을 뿐, 실제로 사용하지는 못한 채 기회만 살피고 있었다.

주차장 근처까지 내려오니 한쪽 광장으로 눈꽃 축제가 벌어지고 있었다. 용을 비롯하여 사람의 얼굴, 만화 캐릭터까지 다양한 모양의 얼음 조각을 새긴 공원이 만들어져 마치 동화의 나라에 온 듯한

착각에 빠지게 한다. TV에서 보았던 하얼빈의 얼음 축제에는 미치지 못하지만 이렇게 거대한 얼음 조각을 실제로 본 것도 처음이다. 이렇게 큰 조각들을 어떻게 저렇게도 정교하게 다듬어 아름다운 예술품으로 만들어낼 수 있는지 사람들의 재주도 참 대단하다는 생각이 든다. 말로만 듣던 이글루라는 얼음집에도 처음 들어가 보았다. 단단한 얼음으로 쌓아 올린 집인데, 그 안의 온도가 훈훈한데도 신기하게 얼음이 녹지 않았다.

주차장 근처 식당에서 간단하게 해장국으로 저녁을 먹으면서 하루의 산행을 마무리하였다. 뜨거운 해장국이 들어가서 그런지 몸에 밴 추위가 일시에 풀려나는 기분이다.

몇 십년 만에 가장 춥다는 올 겨울, 가장 추운 날에 멀리 태백산

까지 와서 무사히 산행을 마쳤다. 기대했던 설경을 만나지는 못했지만, 설악산이나 다른 산들처럼 기암괴석이 어우러진 모습들이 없어 다소 밋밋한 풍경이긴 했지만, 그래도 우리나라에서 가장 신령스러운 산을 다녀왔으니 올 한해도 출발이 상쾌하다.

태백산 신령님의 보살핌으로 건강하고 보람있는 한 해가 되기를 소
망해 본다.

눈꽃축제

송선달의 발길 따라

지은이 송배근

1판 1쇄 발행 2019년 11월 06일

저작권자 송배근
발행처 하움출판사
발행인 문현광
편 집 오현정
주 소 군산시 축동안3길 20, 2층 하움출판사
I S B N 979-11-6440-078-2

홈페이지 www.haum.kr
이메일 haum1000@naver.com

좋은 책을 만들겠습니다.
하움출판사는 독자 여러분의 의견에 항상 귀 기울이고 있습니다.

이 도서의 국립중앙도서관 출판예정도서목록(CIP)은 서지정보유통지원시스템 홈페이지(http://seoji.nl.go.kr)와
국가자료종합목록 구축시스템(http://kolis-net.nl.go.kr)에서 이용하실 수 있습니다.
(CIP제어번호 : CIP2019042781)